Леонид Спивак

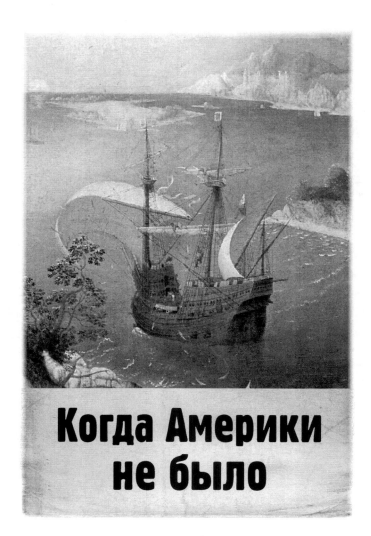

Когда Америки не было

БОСТОН · **2020** · BOSTON

СЕРИЯ
«ПОРТРЕТЫ НА ФОНЕ ЭПОХИ»

Леонид Спивак *Когда Америки не было*
Leon Spivak *When there were no America*
(Kogda Ameriki ne bylo)

Редактор: Ольга Новикова

ISBN 978-1-950319169
Library of Congress Control Number: 2020930244

Published by M·Graphics | Boston, MA
⌨ www.mgraphics-publishing.com
✉ mgraphics.books@gmail.com

Book and Cover Design by M·Graphics © 2019

На обложке: каравелла XVI века, изображенная на картине
Питера Брейгеля (1525–1569) «Падение Икара»
(Музей изящных искусств в Брюсселе) / Wikimedia Commons.
Фото автора на обложке: В. Машатин © 2016

При подготовке издания использован модуль расстановки переносов русского языка **batov's hyphenator**™ (www.batov.ru)

Отпечатано в США

Светлане и Виктории, моей семье

Автор выражает признательность всем своим друзьям, оказавшим поддержку в создании книги. Особая благодарность Михаилу Минаеву, Светлане Арефьевой, Владимиру Шпунту, Александру Литваку, Евгении Власовой, Кате Батхин за ценные поправки и критические замечания.

Было время, когда Америки не было.
Потом появилась на свитке ранняя Америка,
Страна начинаний.

Карл Сэндберг

ОТ СЕВИЛЬИ ДО ФЛОРИДЫ

«В начале весь мир был Америкой,—написал в 1690 году английский философ Джон Локк,—причём в гораздо большей степени, чем теперь».

Древний мир состоял из трёх частей—Европы, Азии и Африки, описанных ещё Птолемеем. Лежащую за морями в другом полушарии Новую землю (лат. *Terra nova*) открывали не один раз. Несть числа апокрифам у древних народов—от финикийцев до китайцев. По капризу истории, исландский викинг Лейф Эрикссон, а затем генуэзец Колумб оказались самыми известными из европейцев, открытия которых признал учёный мир. Впрочем, появление на картах четвёртой стороны света сопровождалось большой неразберихой. «Странно, что великая Америка должна носить имя вора,—возмущался в XIX веке философ Ральф Эмерсон.—Америго Веспуччи, торговец солониной из Севильи, который удостоился скромной чести быть штурманом корабля, не отправлявшегося в экспедицию никогда и никуда, позаботился о том, чтобы затмить имя Колумба и окрестил половину земного шара своим бесчестным именем».

Был ли флорентинец Америго самозванцем—вопрос, не устаревший до сих пор. Приказчик торгового дома Медичи в Севилье, мореход, искавший, подобно Колумбу, удачи на службе у испанцев и португальцев, Веспуччи оставил весьма краткие записи о своих путешествиях. В 1507 году лотарингский картограф Мартин Вальдземюллер издал «Введение в космографию» с переводами двух писем Америго к Лоренцо

Медичи. В отчётах Веспуччи упомянуты на латыни земли, которые он нарёк *Mundus Novus* (Новым миром). Вальдземюллер предложил: поскольку севильский подрядчик первым описал четвёртый континент, следует «именовать новую часть света страной Америго, или Америкой».

Стефан Цвейг, назвавший запутанную андалузскую историю «комедией ошибок», писал: «Достаточно беглого взгляда на географические карты начала шестнадцатого века, чтобы понять, каким представляла себе тогдашняя космография этот „*Mundus Novus*". В мутной похлёбке Мирового океана плавают бесформенные ломти суши, только по краям слегка надкусанные любопытством первооткрывателей. Крохотную часть Северной Америки… ещё относят к Азии, так что поездка из Бостона в Пекин в тогдашнем представлении требует лишь нескольких часов. Флорида считается большим островом, расположенным неподалёку от Кубы и Гаити, а вместо Панамского перешейка, связующего Северную Америку с Южной, раскинулось широкое море».

Христофор Колумб до конца своих дней был убеждён, что достиг восточных берегов Китая и Японии. Америго Веспуччи ушёл из жизни, не ведая, что Новый Свет назовут его именем. Оба итальянца похоронены в Севилье. Интересно, что надменные иберийские гранды длительное время не желали именовать новый материк Америкой. Общепринятым названием оставалась Западная Индия. Даже в 1627 году, то есть через 135 лет после открытия Колумба, чиновники мадридского двора требовали запретить пользование «любой картой, на которой начертано имя Америка».

На Руси первое упоминание о землях за океаном относится примерно к 1540 году. Афонский монах Максим Грек, учившийся в Италии и приехавший в Москву по приглашению великого князя Василия III, отца Ивана Грозного, для перевода византийских церковных книг, писал в одном из своих «Сказаний»: «Нынешнии же люди португальстии, испанстии… нашли… землю величайшу… еяже конца не ведают тамо живущеи».

Автором одного из первых литературных сочинений, посвящённых Северной Америке, был дворянин из Эстремадуры Альвар Нуньес Кабеса де Вака. Весной 1528 года пять испанских кораблей с шестью сотнями солдат должны были взять под контроль землю, открытую ещё соратниками Колумба и прозванную «Цветущей» (*Florida*). Высадившись на берег, отряд в три сотни человек, среди которых был казначей экспедиции Кабеса де Вака, двинулся на запад. Кабальеро де Вака имел также полномочия королевского прокурора будущей провинции Флорида.

Альвар Нуньес был опытным солдатом. Он участвовал в войнах, которые вела Испания в Италии, а затем отличился в сражении при Памплоне, где были разбиты французские войска, вторгшиеся в Наварру. Во Флориде его ждал суровый опыт совсем иного свойства. Яростное тропическое солнце не уступало пассионарности конкистадоров, которые шли в высоких кожаных испанских сапогах, железных латах и шлемах, неся с собой, помимо поклажи, тяжёлые мечи и аркебузы. Месяц за месяцем вместо цветущей земли они видели только непроходимые заросли и топи болот, кишащие москитами и аллигаторами. На пришельцев устраивали засады местные индейские племена: из-за деревьев и кустов летели тучи стрел с наконечниками из змеиных зубов, которые пробивали даже металлические доспехи. Не хватало провизии и чистой воды, погибших лошадей сразу же съедали, были случаи каннибализма.

Испанцы разминулись со своими кораблями у побережья Мексиканского залива (позже выяснилось, что остальная часть королевской экспедиции сгинула в морской пучине). Последние пятнадцать членов отряда, обессилевшие от голода, ран и болезней, попали в плен к индейцам на юго-восточном берегу нынешнего Техаса.

Кабеса де Вака в подробностях описал свою дальнейшую жизнь. По счастью, казначей исчезнувшей экспедиции не лишился скальпа и не закончил жизнь на ритуальном костре. Пленные европейцы были поделены между группами аборигенов и постепенно потерялись из виду. Как вспоминал де Вака, индейцы «иногда давали мне скоблить и мять кожи; дни, когда я скоблил кожи, были для меня самыми счастливыми, потому что я скоблил изо всех сил, а соскрёбыши съедал, и этого мне хватало на два или три дня».

Большинство из испанских пленников погибло в рабстве, но де Вака смог выучить несколько местных наречий и даже подружиться с шаманом. Идальго из Эстремадуры освоил знахарские ритуалы и начал их практиковать. Целительство давало ему пропитание, а со временем позволило относительно безопасно перемещаться между разными племенами.

Де Вака стал первым европейцем, пересёкшим североамериканский континент с востока на запад, от Атлантического океана до Тихого. Первопроходец побывал в Новом Свете знатным кабальеро, прокурором, рабом, шаманом. После восьми лет невероятных тягот и скитаний, пройдя пешком около трёх тысяч километров, бывший конкистадор набрёл в Южной Калифорнии на отряд испанских солдат. Королевский прокурор сменил бизонью шкуру на кастильский мундир, но обнаружил, что ноги у него, как у индейца, не влезали в сапоги. Первое время он мог спать только на земле.

Казалось, к такой биографии трудно что-либо прибавить. Тем не менее Кабеса де Вака в дальнейшем исследовал земли Аргентины, стал губернатором Парагвая, но оказался неосмотрителен в местных политических интригах. Губернатора арестовали по ложному навету и в оковах, как в своё время Колумба, отправили в Испанию, где суд приговорил его к восьмилетней ссылке в Африку. Так дон Альвар посетил четвёртый в своей жизни континент.

Во время долгого процесса в Севилье экс-губернатор в своё оправдание написал книгу «Кораблекрушения Альвара Нуньеса Кабесы де Вака» («*Naufragios de Alvar Nuñez Cabeza de Vaca*»), которая стала уникальным литературным памятником XVI столетия. Хроники очевидца, впервые описавшего земли нового континента, невиданную флору и фауну, обычаи и уклад аборигенов, не затронутые цивилизацией, стали важнейшим источником для исследователей. Главная же притягательная сила книги заключалась в уникальности сюжета и главном персонаже «Кораблекрушений». Произведение Ка-

Город Сент-Огастин

бесы де Вака—это прежде всего человеческий документ, сви-
детельствовавший об огромных физических и моральных возможностях личности.

Опальный литератор, географ, этнолог и историк через три
года ссылки был помилован королём Карлом V, снова вернулся
на родину и получил должность члена Верховного суда в Севилье. Здесь сеньор де Вака завершил свой земной путь. Спустя
десятилетия «Кораблекрушения» переведут на многие языки,
а четыре века спустя испанская Академия включит книгу в «золотой канон».

В 1565 году на территории будущих Соединённых Штатов появилось первое постоянное европейское поселение: испанцы заложили во Флориде форт Сан-Агустин (*San Agustín*,
ныне город Сент-Огастин). Рождение старейшего из американских городов было не менее драматичным, чем вся эпоха
Великих географических открытий.

Помимо пиренейских конкистадоров, в исследовании восточного побережья Флориды приняли участие деятельные

французские мореплаватели. Одним из них был выходец из Нормандии капитан Жан Рибо. В 1564 году он привёз во Флориду две сотни французских поселенцев-гугенотов, которые основали форт Каролен. То был прямой вызов надменному Мадриду. Всемогущий король Испании отправил в Новый Свет флотилию из одиннадцати судов с двумя тысячами солдат. Экспедицией командовал закалённый в боях адмирал Педро Менендес де Авилес, который получил титул маркиза и должность губернатора Флориды. За семь лет до Варфоломеевской ночи в Париже адмирал Менендес устроил кровавую резню гугенотов в тропическом раю. Как пояснил правоверный католик-губернатор несчастному капитану Рибо, «мы вас казним не за то, что французы, а за то, что еретики».

Неподалёку от разорённой колонии 28 августа 1565 года, в день святого Августина, был заложен одноимённый город, который в течение следующих 256 лет оставался самым северным форпостом обширной испанской колониальной империи. Через год в семье первого коменданта Сан-Агустина астурийского кабальеро Мартина Аргуэльеса и его жены Леоноры родился сын—первый ребёнок европейских поселенцев на территории будущих США. Он уцелеет во время опустошительного набега на город английского корсара Фрэнсиса Дрейка в 1586 году и сделает, по примеру отца, военную карьеру в колониальной Америке.

В том же 1586 году на службу испанскому королю Филиппу II поступил итальянский военный инженер Батиста Антонелли. Он отправился в величайшую империю мира для строительства фортификаций. Под непосредственным руководством Антонелли возводились укрепления в Гаване, Пуэрто-Рико, Санто-Доминго. По его схемам в Сан-Агустине в 1672 году начали строить фортецию Сан-Маркос с четырьмя бастионами и равелинами—старейшую из каменных крепостей на территории США. Мощные бастионы «Святого Марка» выдержали две английские осады (сам город в ходе осад был сожжён); впоследствии флоридская крепость использовалась в качестве политической тюрьмы.

Форт Сан-Маркос во Флориде

Сегодня в Севилье в просторном здании XVI века располагается Генеральный архив Индий, хранящий уникальные документы по истории испанской империи в Америке. Суммарная длина полок в архиве составляет более 9 километров, на которых находятся 43 тысячи папок—около 80 миллионов страниц, созданных администрациями колоний. Именно здесь хранится папская булла демаркации *Inter caetera* папы Александра VI, поделившая мир между Испанией и Португалией и судовой журнал Христофора Колумба. Здесь же—сухие отчёты капитанов и героические реляции губернаторов. Географические карты и приказы, словно пропитанные горьковатой солью морей, гарью порохового дыма, смрадом костров инквизиции. А рядом—ревизии и колонки цифири, ложь гросс-бухов, челобитные и тайные доносы.

Один из пергаментных листов сообщает следующее. Весной 1590 года бывший солдат-наёмник, а затем агент в Севилье по закупке оливкового масла и муки для испанского флота Мигель де Сервантес Сааведра подал прошение в Совет Индий о предоставлении ему вакантного места в американских колониях. Многие представители обедневшего рода Сервантесов служили или окончательно переселились за океан. Будущий великий писатель мечтал о месте счетовода или должности коррехидора (исправника).

Не случись бюрократического отказа из Совета Индий— у Сервантеса к тому времени была судимость за растрату,— «Хитроумный идальго Дон Кихот Ламанчский» мог бы появиться где-то на просторах Нового Света. Впрочем, как мы знаем, история существует только в изъявительном наклонении.

ДОРОГА В ПЛИМУТ

Можно сказать, что в определённом смысле они сотворили Мир заново.

Джерид Элиот, 1748

«Рай во всех отношениях»

В Бостоне и Плимуте, двух самых известных городах Новой Англии, нет памятника Джону Смиту. Более того, он никогда не бывал ни в одном из них. Но всё же именно этот легендарный сын Альбиона сделал многое для того, чтобы Бостон и Плимут появились на карте мира.

В многотомном британском «Биографическом словаре» прошлого века насчитывается тридцать пять Джонов Смитов: пасторов и юристов, философов и политиков. Сын линкольнширского торговца капитан Смит (*Smith*, 1580—1631) отмечен соотечественниками как искатель приключений и авантюрист. А в не менее объёмистых «Американских биографиях» его назвали прародителем не только американской историографии, но и национальной художественной литературы.

Джон Смит был достойным представителем эпохи колонизаторов, бесстрашных морских волков, пиратов и авантюристов всех мастей. Покинув дом в шестнадцать лет, он воевал против испанцев в Нидерландах, против Гизов — во Франции, против турок — в Венгрии. В 1602 году в одном из боёв Смит был захвачен янычарами в плен и продан в рабство в далёкие степи Причерноморья. В Азове он сумел сбежать, убив при этом своего хозяина, и нашёл убежище в донской крепости. Затем, проделав долгий путь через Московию и Валахию, возвратился на родину.

В Англии Смит нашёл удачное применение своим авантюрным талантам. В то время различные коммерческие акционерные компании (первой из них в 1553 году стала Московская торговая компания) активно осваивали для Британии новые рынки. Король Иаков (Яков) I пожаловал двум из них—Лондонской и Плимутской—хартии, предоставив монопольное право на колонизацию восточного побережья Северной Америки. Джон Смит вошёл в состав экспедиции, основавшей в 1607 году форт Джеймстаун, первое постоянное английское поселение на берегах Нового Света.

При непосредственном участии капитана Смита были написаны первые страницы американской истории. К несчастью, лидеры колонии уделяли больше внимания междоусобным склокам, чем заботе о поселенцах. Наш герой даже был арестован по ложному обвинению, приговорён к смерти, но помилован.

Входившие в руководство колонии джентльмены рассчитывали на производство в Вирджинии шёлка и вин. Простолюдин Джон Смит начал возделывать экзотическую по тем временам кукурузу, чем спас многих от голодной смерти. Со временем он стал признанным лидером молодой английской колонии. Некоторые историки считают, что Смит, знакомый с донскими крепостями, применил в Новом Свете русский метод быстрого возведения укреплений. До него ни одно из английских поселений, пытавшихся закрепиться на американском берегу, не смогло устоять перед набегами индейцев.

После очередного ранения «солдат удачи» вынужден был вернуться в Англию, где изложил свою одиссею в нескольких книгах. Истории Смита во все времена вызывали горячие споры. Его недоброжелатели подвергали сомнению многое из случившегося с ним в Америке: интриги в колонии, походы внутрь материка, схватки с индейцами. Его часто представляют как некоего английского барона Мюнхгаузена. Вместе с тем почитатели бесстрашного капитана говорят о нём как о зачинателе американской словесности, первом летописце страны. Смит оказался родоначальником будущих «пионеров Запада», неотъемлемой частью американского эпоса, а любой американский школьник знает его историю об индейской принцессе Покахонтас.

Летом 1614 года Джон Смит совершил плавание, которое впоследствии назвал главным делом своей жизни. Акционерная компания отправила его к доселе неизведанным берегам Америки для рыболовства и выгодной меховой торговли. На самом деле капитан явно подыскивал удобное место для нового поселения.

Смит исследовал побережье материка от нынешнего штата Мэн до полуострова Кейп-Код. «Я чертил карту от мыса к мысу, от протока к протоку и от гавани к гавани,— писал он,— с заливами, отмелями, скалами и возвышенностями, подходя близко к береговой линии на небольшой лодке». Судя по сохранившейся карте, таким местом должен был стать ещё не получивший своего имени Массачусетский залив, который Смит описал как «рай во всех отношениях».

«Из всех четырёх частей света, которые я повидал, я бы непременно выбрал для себя именно эту»,— сказал он впоследствии. Отмечая географические координаты, удобные для будущих поселений, Джон Смит давал им привычные английские имена. Так на карте Нового Света впервые появились названия старых британских городов, в их числе Плимут и Бостон. Правда, капитан обозначил предполагаемый Бостон значительно севернее его нынешнего положения.

Джон Смит, несомненно, бывал как в Плимуте, откуда отправлялось большинство английских заокеанских экспедиций, так и в старом Бостоне, портовом городе его родного графства Линкольншир. Многие из американских географических наименований Смита стёрло время. И всё же будущие поселенцы сохранили некоторые из них. В их числе—Плимут, куда, све-

Берег Новой Англии

ряясь с картами Джона Смита, прибыли первые массачусет-
ские колонисты, и река Чарльз, на берегах которой располо-
жился современный Бостон.

Вернувшись в Англию, капитан подробно изложил сделан-
ные им открытия, приложив прекрасно выполненные карты.
Свой труд, опубликованный в 1616 году, он назвал «Описания
Новой Англии» («*A Description of New England*»). Так впервые,
благодаря британскому мореплавателю, возникло и закрепилось название этой части североамериканского континента.

Некоторые историки сравнивают усилия Джона Смита
по созиданию колоний в Америке с деяниями Колумба, с той
лишь разницей, что у Смита не было таких покровителей, как
испанская королева Изабелла. В 1580 году, в год рождения ле-
гендарного капитана, лишь в самых смелых умах англичан ро-
ждались идеи колонизации нового материка. Спустя пятьдесят
два года, к смерти английского землепроходца, Британия владела Вирджинией, Массачусетом и другими колониями в Новом Свете. Ни один из знаменитых английских современников
Джона Смита не смог добиться столь впечатляющих успехов.
Генри Гудзон, сначала на службе лондонской Московской торговой компании, а затем в качестве капитана голландского
корабля, искал с помощью карт Смита проход из Америки
в Азию, но нашёл только реку, которую назвал своим именем.
Уолтер Рэли, фаворит королевы Елизаветы I, познакомивший
Англию с заморским картофелем и табаком, вошёл в американскую историю лишь как неудачливый основатель «потерян-
ной колонии».

Смит стал горячим пропагандистом колонизации новых
земель, своего рода «крёстным отцом» Новой Англии. Во времена разрозненных торговых факторий и мелких плантаций
на самом краю мира он, в числе немногих, увидел будущее
американской цивилизации. Создание крошечных поселений горсткой смельчаков Смит смело сравнивал с основанием
Рима, Карфагена и Венеции. В своих «Описаниях Новой Англии» он убеждает потенциальных колонистов: «Что может
быть доблестнее и почётнее, чем открытие неизвестных ве-

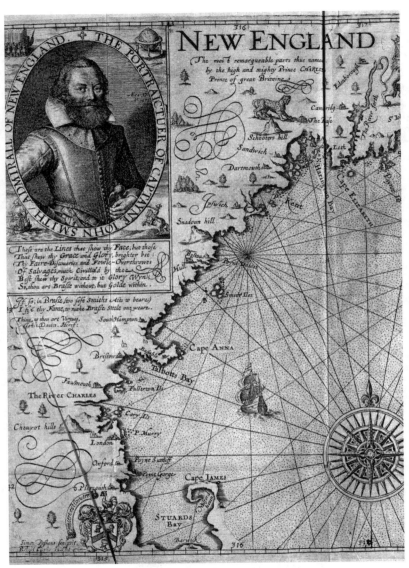

Карта Новой Англии Джона Смита с его портретом. 1614 г.

щей, созидание городов, заселение новых стран, просвещение невежд, искоренение несправедливости, внедрение добродетели и приобретение для нашей матери-родины нового королевства!»

До конца своих дней Джон Смит с гордостью носил присвоенный ему титул «адмирала Новой Англии». К несчастью, его последующие попытки колонизации закончились неудачей. Отправившись в новую экспедицию, «адмирал» был захвачен французскими пиратами и лишь через год сумел бежать из плена. А дальнейшие проекты и вовсе завершились финансовым крахом.

Джон Смит обосновался в Лондоне, где в 1624 году опубликовал «Общую историю Вирджинии, Новой Англии и островов Соммерса (как в ту пору называли Бермудские острова.—Л. С.)», оставшуюся и по сей день одним из главных трудов по ранней истории Америки. Но солидный фолиант не смог повлиять на его судьбу. С капитаном лишь иногда советовались, использовали его материалы по колонизации Америки, но и только. Ничего не изменили и созданные позже практические пособия для моряков и начинающих колонистов.

Историк Г. Брэдфорд писал о капитане Смите: «В эпоху Шекспира он часто и выглядел как шекспировский персонаж. Подобно героям Шекспира, в нём есть юмор и патетика одновременно... Он мечтал о новых империях и попал в плен к пиратам. Он дал имя целому региону, открыл путь для заселения континента и умер неимущим в доме друзей. Он соединял в себе бахвальство и скромность, юмор и гнев, изобретательность и упрямство... Он был человеком великих планов, которые никогда не осуществились, и в конце жизни он, возможно, был вынужден добывать себе пропитание, рассказывая великие истории прошлого тем, кто открыто смеялся ему в лицо».

И всё же «самого известного английского Джона Смита» можно смело назвать баловнем судьбы. Его знаменитые и отважные современники-мореплаватели оказались гораздо менее удачливыми. Генри Гудзон в 1611 году бесследно сгинул

Памятник капитану Смиту в Вирджинии

в водах залива, носящего теперь его имя. А пионера американской колонизации Уолтера Рэли казнили в 1618 году как пирата. Смит же вошёл в анналы истории как первый исследователь и картограф Атлантического побережья будущих Соединённых Штатов и как создатель первых американских литературных памятников.

До конца своих дней он упорно, но безуспешно искал возможность вернуться в Новый Свет. Капитан рассчитывал возглавить группу эмигрантов, собиравшихся в 1620 году совершить плавание на ставшем знаменитым корабле «Мейфлауэр». Между Смитом и лидерами переселенцев завязалась переписка. Однако отцы-пилигримы отклонили его предложение, полагая, что присутствие «солдата удачи» может дурно повлиять на религиозную мораль поселенцев. Смит понял это иначе: «Они предпочли сэкономить. Мои карты и книги стоили им дешевле, чем я сам».

«Адмирал Новой Англии» ушёл из жизни летом 1631 года. Искатель удачи, переживший на разных континентах бесконечное число боёв и ранений, кораблекрушений и пленений, умер в своей постели. Уже были основаны Плимут и Бостон, написаны первые законы Массачусетса. Началась «Великая миграция» — первая волна английской колонизации Северной Америки. Джону Смиту удалось лишь приподнять занавес над новой сценой мировой истории.

Упавшая звезда

Год 1566 не был отмечен значительными событиями в британском королевстве. Взаимоотношения между Елизаветой I и английским парламентом оказались весьма напряжёнными из-за настойчивых предложений парламентариев найти королеве супруга. Елизавета неоднократно отвергала ухаживания многих европейских принцев крови. В том же году «королева-девственница» отклонила брачное предложение русского царя Ивана Грозного. Отказ безмерно разобидел московского государя, который в ответном письме назвал Елизавету «пошлой девицей».

В этот год была открыта новая страница ранней американской истории. Всё завязалось вокруг деревушки Скруби. Небольшое селение в северном английском графстве Ноттингемшир, на полпути между Лондоном и шотландской границей, во все времена казалось богом забытым местом. Число жителей в Скруби в самые лучшие годы не превышало двухсот, а единственным примечательным строением была обветшавшая усадьба, некогда служившая одной из резиденций архиепископу Йоркскому. В XVI столетии в усадьбе располагался постоялый двор, где могли передохнуть и сменить лошадей курьеры королевской почтовой службы. В этом доме в семье почтмейстера в 1566 году появился на свет Уильям Брюстер (*Brewster*), первый из американских отцов-пилигримов.

Патриархальная тишина Скруби была обманчивой. Старый почтовый тракт между двумя столицами—Лондоном и Эдинбургом—оказался одним из важных нервов большой политики. Двор почтмейстера в Скруби посещали в то время разные люди. Здесь бывали дипломаты, перевозившие официальную корреспонденцию и личную переписку двух королев— английской Елизаветы I и шотландской Марии Стюарт. Здесь же появлялись шпионы и тайные агенты с секретными донесениями. Весь мир знал, что две венценосные кузины сошлись в длительной и жестокой схватке за английскую корону.

Юный Брюстер не мог и помыслить, что борьба самых известных в британской истории женщин окажет непосредственное влияние на его судьбу. Сыну почтмейстера, казалось, была уготована карьера священнослужителя. В 1580 году четырнадцатилетний Уильям начал своё обучение в старинном Кембридже. Через этот университет прошли многие из будущих лидеров эмиграции в Америку.

Брожение умов в старой Англии затронуло и университетские классы, и церковные кафедры, и крестьянские подворья. Со времён Генриха VIII, отца Елизаветы, порвавшего с Римом, английские протестанты и католики непримиримо и фанатично преследовали и уничтожали друг друга. Кембридж был одним из очагов этого конфликта. В отличие от Оксфорда, он стал колыбелью молодых, свободно мыслящих учёных, более приверженных духу Реформации. Кембридж воспитал немало радикалов, доставивших изрядные неприятности королевской власти и церковным иерархам. Вместе с Брюстером здесь постигал искусство богословских споров Джон Пенри, в будущем автор блестящих памфлетов, направленных против официальной церкви. За едкую критику англиканских епископов Пенри был отправлен на виселицу, а тело его уже после казни четвертовали.

Способный студент, Уильям Брюстер вскоре обратил на себя внимание сэра Дэвисона, статс-секретаря королевы Елизаветы. Уильям Дэвисон был видным дипломатом своего времени, умевшим плести сложные межгосударственные интриги. Осталось тайной, при каких обстоятельствах произошло знакомство придворного вельможи и юного студента Брюстера. Достоверно известно, что Дэвисон в 1583 году останавливался в Скруби на пути в Эдинбург и даже имел в сельской таверне беседу с французским посланником Фенелоном. Эдинбургская миссия Дэвисона заключалась в том, чтобы не допустить военный союз Шотландии с Францией.

В 1585 году, уже в качестве секретаря Дэвисона, Уильям Брюстер отправился в «Нижние земли», как называли тогда Бельгию и Голландию. Молодой англичанин оказался в самом центре европейского политического водоворота. Симпатии королевы Елизаветы были на стороне протестантских Нидерландов, которые вели ожесточённую борьбу против католической Испании. Святая инквизиция предала огню и мечу восставшие земли Фландрии и Голландии. Многие из городов пришли в запустение, другие оказывали испанцам отчаянное сопротивление. Наибольшую известность получила оборона Лейдена, жители которого открыли плотины и затопили свой город, вынудив врага бежать. В судьбе Брюстера и американских «отцов-пилигримов» Лейден сыграл впоследствии немаловажную роль.

Сэр Дэвисон осуществлял политическую и финансовую поддержку Нидерландов в борьбе с испанской короной. История не сохранила подробностей посольской деятельности самого Брюстера. Известно лишь, что голландцы в знак признания дипломатических заслуг молодого англичанина поднесли ему массивную золотую цепь.

Перед Уильямом Брюстером открывались блестящие возможности дипломатической и придворной карьеры. Но история распорядилась иначе. В век прославленных трагедий и фарсов разыгралась одна из знаменитых драм, достойных пера Шекспира.

В последнюю ночь января 1587 года небо над большей частью Англии осветилось сполохами падающей кометы. Создававший в то время своего «Юлия Цезаря», Уильям Шекспир писал:

В день смерти нищих не горят кометы.
Лишь смерть царей огнём вещает небо...

На следующий день королева Елизавета послала за Дэвисоном. Статс-секретарь принёс ей на подпись государственные бумаги. В числе других подпись королевы была поставлена и под смертным приговором Марии Стюарт. Елизавета дала понять, что её имя не должно фигурировать в этом деле. Верный слуга не посмел ослушаться и взял на себя всю ответственность за судьбу пленённой шотландской королевы.

Мария Стюарт ожидала своей участи в отдалённом замке Фотерингей. Выполнив все необходимые формальности в Тайном совете и скрепив приговор Большой государственной печатью, сэр Дэвисон отправил в Фотерингей своего гонца.

8 февраля 1587 года хмуро и торжественно зазвонили колокола в церкви замка. На эшафоте, установленном посреди парадного зала, отложив окровавленный топор, палач высоко поднял за волосы отрубленную голову Марии Стюарт и провозгласил: «Боже, храни королеву!»

Получив долгожданную весть о казни, Елизавета разыграла вторую часть задуманного ею спектакля. Монархи Европы должны были убедиться в том, что на руках Елизаветы нет крови шотландской соперницы. Статс-секретарь Дэвисон, «самовольно» утвердивший смертный приговор Марии Стюарт, был арестован и заточён в королевскую тюрьму Тауэр. В письме к Иакову (Якову), сыну Марии, королева Елизавета возложила всю ответственность за смерть шотландской королевы на своих придворных. Поверить в правдивость этой версии Иакову Стюарту помогли гарантии наследования английского престола после бездетной Елизаветы.

Столь удачно начавшаяся карьера двадцатилетнего Уильяма Брюстера была стремительно разрушена. Бывшему личному секретарю сэра Дэвисона, ставшего опальным, пришлось навсегда покинуть лицемерный и коварный Лондон. Брюстер возвратился в Скруби, чтобы заменить уже серьёзно болевшего отца на должности местного почтмейстера.

Сепаратисты

В 1603 году по старой дороге из Эдинбурга в Лондон проехал торжественный кортеж. На английском престоле произошла смена династии: королей дома Тюдоров после смерти Елизаветы сменил шотландский король Иаков I Стюарт. Англия и Шотландия отныне управлялись одним монархом.

Проезжая Скруби, новый король отметил царившее здесь «запустение». В толпе местных жителей стояли почтмейстер Брюстер с женой Мэри и четырнадцатилетний Уильям Брэдфорд, их приёмный сын. Стражники усердно раздвигали возбуждённую толпу (в народе жило поверие, что прикосновение монарха исцеляет от золотухи). Ни Брюстер, ни Брэдфорд ещё не ведали, что вскоре им предстоит стать «врагами королевства» и пересечь океан, чтобы основать самую известную американскую колонию.

В доме почтмейстера в Скруби в те годы тайно собиралась небольшая группа религиозных единомышленников. Историки назвали их «сектой сепаратистов». Даже в то смутное время они казались радикалами. Их не устраивала официальная англиканская церковь, с её иерархией и обилием католических пережитков. Они не признавали мессу и вредную церковную «рухлядь» — иконы, распятия, кадильницы, пышные ризы; не преклоняли колена во время службы и считали, что церковь должна быть похожа на первоначальную апостольскую.

Вечерами по одному, по двое, чтобы не вызвать подозрений, жители окрестных селений приходили в дом Брюстера. У дверей выставляли дежурного. Садились за стол, освещаемый тусклыми плошками с маслом, читали и обсуждали религиозные книги, тайно перевозимые из Женевы, где проповедовал великий реформатор Жан Кальвин. Затем расходились — также поодиночке, стараясь тихо выскользнуть из дверей дома, не привлекая внимания. Впрочем, в маленьком Скруби ничто не могло укрыться от глаз соседей.

«Сепаратисты» объявляли основой религии личную веру каждого. Во главе церковной общины, считали они, должен стоять не назначаемый королём епископ, а избранный мирянами старейшина — «элдер». Выступая против власти прелатов, против церковных судов и за отделение церкви от государства, они преступили черту дозволенного и превратились в опасных для власти смутьянов. Ибо равенство «сынов Божьих» означало и политическое, правовое равенство. Спустя сорок лет этот идеологический постулат привёл к Английской революции и свержению монархии. Иаков I отчётливо видел угрозу трону, заявив вскоре после восшествия на престол: «Нет епископа — нет и короля».

В сентябре 1607 года Уильям Брюстер был лишён должности почтмейстера и предстал перед судом Высокой комиссии. Его обвинили в содержании тайной сектантской молельни и оштрафовали на большую сумму. Относительно мягкое по тем временам наказание объяснялось тем, что провинциальная секта была слишком малочисленной, чтобы реально угрожать властям. Однако Брюстер и его единомышленники отныне превратились в изгоев.

«Сепаратисты», распродав свой скарб, поодиночке перебирались в портовый Бостон, в шестидесяти милях от Скруби, откуда они рассчитывали бежать в Голландию, известную своей веротерпимостью. Предприятие было опасным, так как закон запрещал покидать Англию без разрешения короля. Очевидец тех событий, будущий летописец Плимутской колонии Уильям Брэдфорд, писал о неудавшемся замысле: «Большая часть их готовилась переправиться из Бостона в Линкольншире и наняла для этого целый корабль, договорившись с капитаном насчёт дня и места, где будут его ждать. Прождав его долго и много потратившись, ибо в назначенный день он не прибыл, они всё же, наконец, увидели его и ночью погрузились на корабль. А когда они со всем имуществом были уже на борту, капитан их выдал, сговорившись прежде с приставами; а те схватили их, посадили в лодки, в поисках денег раздели до рубашек даже женщин, не пощадив их стыдливости; а затем отвезли обратно в Бостон, где выставили на потеху толпе, отовсюду стекавшейся на них поглядеть. Обобрав их, отняв деньги, книги и другое имущество, судебные приставы отвели их к городским властям, а те заточили их в тюрьму».

Брюстер провёл в бостонской тюрьме несколько месяцев, предстал перед королевским судом и вновь был приговорён к разорительному штрафу. Вполне вероятно, что более сурового наказания он сумел избежать благодаря заступничеству сэра Эдвина Сэндиса, сына архиепископа Йоркского. Отец Брюстера когда-то состоял на службе у архиепископа. Власти дали смутьяну понять, что в следующий раз кара будет гораздо более суровой. И всё же семья Брюстера рискнула бежать на голландском корабле весной следующего года.

Новым местом жительства они выбрали Лейден, второй по величине город страны. Здесь было спокойнее, чем в столичном Амстердаме, и рыскало меньше агентов английского короля. Лейден был городом особенным. Правитель Голландии Вильгельм Оранский в знак признательности за мужество лейденцев в войне с испанцами в 1575 году предложил им на выбор освобождение от налогов или строительство университета. Горожане выбрали университет, который вскоре стал одним из лучших в Европе.

Уильям Брюстер работал печатником в университетской типографии, а также давал уроки английского языка студентам. Уильям Брэдфорд нанялся красильщиком на текстильную мануфактуру. Старший сын Брюстера, шестнадцатилетний Джонатан, трудился в мастерской по изготовлению лент для женского платья. Брюстеры ютились в доме, находившемся на узкой и грязной улочке, которая на старинных лейденских картах именовалась Штинкстеег («Вонючий переулок»). Будущие пилигримы добывали хлеб насущный самым тяжёлым и низкооплачиваемым физическим трудом, ибо они не допускались ни в одну из ремесленных гильдий. О тяжести труда на текстильных мануфактурах Лейдена говорит тот факт, что лишь в 1646 году рабочий день для детей был официально ограничен 14 часами. «Голландец выполняет за день работы больше, чем француз за неделю»,—писал Кольбер, министр финансов Людовика XIV.

Если когда-то главной угрозой для английского престола были католики-паписты, то теперь в немилости оказались протестанты кальвинистского толка. Их презрительно именовали пуританами (от латинского *purus*—«чистый»), так как они выступали за «очищение» английской церкви и её реформацию. Это название, как часто бывает в таких случаях, было принято с гордостью теми, для кого оно предназначалось как оскорбление.

Всё царствование Иакова I прошло в борьбе со своими подданными и чаще всего с английским парламентом, отстаивавшим свои исконные права. Дважды король распускал неугодный парламент, а наиболее активных противников абсолютизма отправил в Тауэр. Иаков не скрывал своих намерений в отношении пуритан. Плеть, колодки, тюрьма или виселица были уготованы за чтение запретных (кальвинистских) книг и непосещение приходской церкви, недоброжелательный отзыв о епископе и намёк на расточительство королевских фаворитов. Вся Европа говорила о подозрительных пристрастиях Иакова к хорошеньким мальчикам. Сначала это был женоподобный красавчик Роберт Карр, который прежде служил конюхом. В короткое время Карр достиг высших должностей в государстве, получил графский титул и сделался канцлером. Его сменил Джордж Вильерс, не менее хорошо сложённый юноша. За несколько лет Иаков сделал Вильерса виконтом, графом, маркизом и герцогом Бэкингемом, кавалером ордена Подвязки, королевским шталмейстером, главным клерком Королевского суда, стюардом Вестминстера, констеблем Виндзорского замка и лордом-адмиралом Англии. Всемогущий Бэкингем не гнушался получать мзду со всех английских торговых и колонизационных компаний, а целая толпа его бедных родственников добилась при дворе власти и богатства.

В 1618 году тяжёлая длань английского монарха обрушилась на маленькую эмигрантскую общину в Лейдене. Иаков I пришёл в бешенство, прочитав анонимный религиозный памфлет, направленный против «священных прерогатив» короля. Памфлеты тайно переправлялись из Голландии в винных бочках с двойным дном. Английский посол в Нидерландах, сэр Дадли Карлтон, получил приказ разыскать их автора и доставить его в Лондон. Карлтон нанял нескольких агентов, которые через голландских печатников смогли установить тип используемого шрифта. След вёл в известный лейденский переулок.

В Европе к тому времени разразилась Тридцатилетняя война, и правительству Голландии невыгодно было портить отношения с возможным союзником в борьбе с испанцами. С позволения местных властей английские агенты «навестили» дом Брюстера, где обнаружили на чердаке небольшой типографский станок, шрифт и образцы печатной продукции. Сам Уильям Брюстер сумел накануне бежать. С этого времени и до отплытия в Америку ему пришлось скрываться в подполье.

Не удовлетворившись расплывчатыми объяснениями голландцев, Лондон стал настаивать на выдаче помощника Брюстера, английского печатника-пуританина Томаса Брюэра, учившегося в Лейденском университете. Согласно старинной традиции, студент мог быть арестован лишь с согласия университетских властей. Лейденцы имели все основания опасаться за судьбу Брюэра. Ещё свежи были воспоминания о судьбе нонконформистского проповедника Бартоломью Лигейта, обвинённого Иаковом в ереси и отправленного на костёр весной 1612 года (Лигейт стал последним из сожжённых в Лондоне «еретиков»).

Британское посольство оказало сильный дипломатический нажим на правительство Нидерландов. Английский подданный Брюэр в конце концов был отправлен в Лондон для допроса под обещание отпустить его обратно не позднее чем через три месяца. Король сдержал своё обещание, но не простил печатника. Спустя несколько лет Томас Брюэр всё-таки оказался в лондонской тюрьме, где, спасая свою жизнь, отрёкся от пуританских убеждений. Он провёл в застенках четырнадцать лет и скончался через месяц после освобождения.

Руководители лейденских «сепаратистов» уже не первый год обдумывали мысль о переселении за океан в поисках «земли обетованной». Идея притягивала—и в то же время пугала. Цена обретения религиозной и гражданской свободы могла оказаться слишком высокой. Из книг Джона Смита будущие пилигримы знали о лишениях и трагедиях, разыгрывавшихся по ту сторону Атлантики. Колония пребывала в плачевном состоянии. В голодные зимы поселенцы в Джеймстауне доходили до каннибализма. Снаряжённая в 1609 году Виржинской компанией новая экспедиция в Америку попала в ураган, флагманский корабль потерпел крушение у Бермудских островов (трагедия, послужившая Шекспиру основой для его последней пьесы «Буря»).

«Сепаратисты» направили в Лондон дьякона общины Джона Карвера для ведения переговоров с правлением Виржинской компании. Он вёз с собой для передачи правительству документ, составленный предположительно Уильямом Брюстером. Члены лейденской общины выражали желание переселиться в Новый Свет, для чего им пришлось письменно признать государственную английскую церковь, епископат и супрематию короля. Заботясь о судьбе общины, Брюстер повёл себя как настоящий дипломат. В тексте говорилось о подчинении королю, «если его повеления не противоречат слову Божьему». То же подразумевалось и по отношению к епископам. Брюстер хорошо понимал, что Лондону будет трудно контролировать духовную жизнь общины по ту сторону океана.

Вирджинская компания являлась частным предприятием, финансируемым крупной аристократией и лондонскими купцами, которые покупали и оснащали суда за свой счёт. Её казначеем был уже упоминавшийся Эдвин Сэндис, ставший лидером оппозиции королю в парламенте. В совет компании входило немало известных людей того времени. Среди них — философ и учёный Фрэнсис Бэкон, сэр Оливер Кромвель (дядя будущего протектора Англии), граф Саутгемптон, друг и покровитель Шекспира. Компания несла значительные убытки, вызванные смертью колонистов от голода, непосильного труда и эпидемий. Несмотря на все пропагандистские усилия таких популярных личностей, как Джон Смит и Фрэнсис Бэкон, находилось немного желающих переселиться в Новый Свет. Испанский посол граф Гондомар писал со злорадством из английской столицы в Мадрид: «…Здесь, в Лондоне, эта колония Вирджиния пользуется столь плохой репутацией, что не могут найти ни одного человека, который бы поехал туда».

Иаков I даже назначил комиссию, призванную формировать партии будущих поселенцев из числа осуждённых в качестве уголовного наказания. Совет Вирджинской компании предпринимал самые разнообразные меры для оживления американского предприятия — от розыгрыша лотерей в Лондоне до попыток отправить за океан разорившихся итальянских ремесленников. Предложение лейденцев казалось спасительной соломинкой для лондонских акционеров. Однако на переговоры с королём и епископами по поводу экспедиции «сепаратистов» ушло долгих два года.

«Майский цветок»

естого сентября 1620 года перегруженный сверх всякой меры двухмачтовый парусник «Мейфлауэр» («*Mayflower*») вышел из английской гавани и взял курс на Америку. По всем канонам мореплавания того времени, в сентябре через Атлантику никто не ходил: было слишком поздно, приближался сезон штормов. Тем не менее этот рейс, многократно откладывавшийся и несколько раз находившийся на грани окончательного провала, состоялся.

«Мейфлауэр» оказался самым известным в американской истории пассажирским судном. С его плавания началась активная и целенаправленная британская колонизация Северной Америки. Основание в конце 1620 года Плимутского поселения, первого в Новой Англии, породило наибольшее число памятных дат и реликвий, столь почитаемых ныне в Соединённых Штатах.

Имя судна — «Майский цветок», как называли в старой Англии боярышник, — напоминало о весеннем деревенском празднестве, которое суровые и благочестивые пилигримы считали языческим. К тому же «Мейфлауэр» сильно пропитался изнутри спиртным — до этого парусник перевозил вина из Франции. Но, как оказалось впоследствии, винные испарения в трюме сыграли спасительную роль антисептика для пассажиров во время атлантического перехода.

На корабле находились сто два пассажира и двадцать пять членов команды. Среди переборок затхлого трюма скрывался до выхода парусника в океан разыскиваемый государственный преступник Уильям Брюстер. Не все переселенцы были членами лейденской общины; часть из них составляли наёмные работники, завербованные по контракту с Вирджинской компанией. Чтобы возместить расходы экспедиции, руководители переселенцев подписали в Лондоне семилетний договор на самых кабальных условиях.

Драматической страницей в судьбе лейденской общины стало решение, кому плыть первыми. Многие не отважива-

Английская копия парусника «Мейфлауэр» в Плимуте

лись на такой отчаянный поступок, семьи оказались разделёнными. Уильям и Мэри Брюстер расставались с двумя дочерьми, родившимися уже в Голландии. Уильям Брэдфорд со своей молодой женой Дороти оставляли на попечение друзей малолетнего сына. Никто не знал, соединятся ли когда-нибудь разбитые семьи. «Итак, они покинули этот добрый город,— писал У. Брэдфорд,— который служил им домом двенадцать лет, но знали они, что есть они пилигримы…»

Первоначально лейденцы зафрахтовали два судна — «Мейфлауэр» в Англии и «Спидуэлл» в Голландии. Второй, меньший по размеру, парусник по прибытии в Америку предназначался для рыбной ловли и торговли. Корабли вышли в море 5 августа 1620 года из Саутгемптона. Через два дня на «Спидуэлле» обнаружилась течь, что заставило экспедицию вернуться назад. На ремонт ушло несколько недель. Вторая попытка оказалась столь же неудачной: «Спидуэлл» опасно протекал, и было решено оставить судно в Англии. Часть пилигримов перешла на борт и без того перегруженного «Мейфлауэра». Пришлось сократить припасы, скудные изначально. Некоторые павшие духом пассажиры отказались от эмигрантской затеи и сошли на берег.

В книге «Пересекая Атлантику» историк М. Мэддокс сравнивал «Мейфлауэр» с плавучей тюрьмой: «По своим параметрам «Майский цветок» оказался судном крепким, но очень валким. На волне его болтало, как поплавок. Капитан Джонс занимал на судне лучшее место. Вместе с двумя своими помощниками он размещался на корме. Команда жила в тесном кубрике на полубаке. Что же касается пассажиров, то в хорошую погоду они могли размещаться на верхней палубе площадью 75 на 20 футов; ночью и в ненастье им приходилось тесниться в сыром трюме размером всего 25 на 15 футов. Потолок трюма был настолько низок, что мужчина не мог выпрямиться во весь рост… Тесный трюм судна практически не вентилировался, а единственными санитарными приспособлениями являлись простые вёдра. Отвратительный запах исходил от воды, набравшейся в трюм ещё 14 лет тому назад, с первых дней существования «Мейфлауэра». Если к этому добавить запах рвоты страдавших морской болезнью людей, экскрементов, давно немытого тела и испорченной пищи, то можно вообразить, какое зловоние наполняло трюм».

Настоящий библейский ужас вызывали у пассажиров штормы, когда тонны иссиня-чёрной воды накрывали кораблик. Но ещё страшнее был штиль, затягивавший плавание. Ограниченные запасы продуктов и особенно питьевой воды неумолимо иссякали. К тому же встреча в ясный день с пиратами или испанским патрулём означала для протестантских «еретиков» неминуемую гибель. Атлантика, холодная в любое время года, не давала людям согреться в сыром и промерзающем трюме. Стылая, вкуса слёз вода, сочившаяся отовсюду, оставляла пронизывающий до костей озноб. В какой-то момент тяготы пути и неисправности в корпусе парусника, обнаруженные после очередной бури, чуть не вынудили пилигримов вернуться.

Северная Атлантика в XVII веке оставалась совершенно неизученной. Она пугала суеверных моряков резкими изменениями погоды. Всерьёз говорили, что там обитает страшное морское чудовище, пожирающее корабли. Суда часто гибли из-за несовершенной техники навигации. Капитаны пересекали океан в лучшем случае с компасом и секстантом, предназначенным для измерения углов между направлением на солнце или звёзды и линией горизонта. Это позволяло высчитать широту местонахождения судна. Определить же долготу капитан не мог. Для оценки своего продвижения по направлению «восток — запад» он полагался на приблизительное навигационное исчисление с учётом скорости судна и течений. Таким образом, уже после первой серьёзной бури Кристофер Джонс, капитан «Мейфлауэра», имел весьма смутное представление о местонахождении корабля.

«Был в числе моряков некий крепкий и нечестивый юноша,—вспоминал Уильям Брэдфорд,—он презирал несчастных людей в их болезнях, каждодневно клял их и прямо говорил, что до конца пути надеется половину из них отправить за борт и поживиться их имуществом; а когда кротко увещевали его, бранился пуще. Но корабль не проплыл ещё и полпути, как Богу угодно было поразить этого юношу тяжким недугом, от которого он в страшных муках скончался, так что оказался первым, кого бросили за борт».

Посередине затянувшегося атлантического перехода Элизабет Хопкинс родила в трюме сына. Мальчику дали имя Океанус. В пути из переселенцев умер всего один человек. Пилигримы усмотрели в успехе предприятия руку Господню.

Первое путешествие Колумба в Америку заняло тридцать три дня. Плавание «Мейфлауэра» продолжалось больше двух месяцев. Наконец один из матросов разглядел на линии горизонта землю. Сквозь хмурый ноябрьский рассвет пассажиры всматривались в темневшую вдали полоску земли, где не было ни огонька, ни какого-либо следа человеческого пребывания. Это совсем не походило на тот «рай», который описывался во многих книгах об Америке.

Корабль оказался у полуострова Кейп-Код, значительно севернее предполагаемого места высадки экспедиции. Капитан Джонс отказался направить судно на юг, к берегам Вирджинии, куда первоначально стремились колонисты. Им предстояло высадиться здесь, на казавшемся бесплодным побережье Новой Англии. «И знали они, что зимы в этой стране холодные и суровые, с жестокими и яростными бурями, опасные для путешествий даже в знакомых местах, а тем более для исследования неизвестного берега,—писал У. Брэдфорд.— К тому же что могли увидеть они, кроме наводящих ужас дебрей, где обитали дикие звери и дикие люди? И как много их там было, они не знали…»

Ещё на корабле, 11 (21) ноября 1620 года, до первой высадки пилигримов на берег, было составлено самое известное в американской истории соглашение. Его подписали все совершеннолетние колонисты-мужчины, всего сорок один человек. Краткий текст «Мейфлауэрского договора» («*Mayflower Compact*») провозглашал следующее:

«Во имя Господа, аминь.

Мы, нижеподписавшиеся… объединяемся в граждан-ский политический организм… и в силу этого мы созда-дим и введём такие справедливые и равные для всех за-коны, установления и административные учреждения, которые в то или иное время будут наиболее необходи-мыми и соответствующими общему благу колонии.

В свидетельство чего мы ставим наши имена, Мыс Код, 11 ноября… Anno Domini, 1620».

В числе первых под соглашением стоят подписи Джона Кар-вера, избранного губернатором, Уильяма Брэдфорда и ста-рейшины Брюстера. «Мейфлауэрский договор» воплотил британский (и, в более широком смысле, протестантский) ис-торический опыт общинного самоуправления. С первого же дня были заложены начала демократической и договорной по-литической системы. Безусловная вера в закреплённые в до-кументе индивидуальные права (сравним с нашим, чисто рус-ским: «бумажка, она и есть бумажка») связана с традицией европейской Реформации. С «Мейфлауэрского договора» аме-риканцы ведут истоки своей национальной гражданской исто-рии. Многие исследователи считают этот документ зародышем американской конституции, ибо в нём впервые — задолго до теории «общественного договора» Ж.-Ж. Руссо — содержится идея о суверенитете народа, о праве самого народа устанавли-вать и изменять государственное правление.

Этот столь важный для истории США документ был создан в промозглом трюме английского корабля у береговой линии мыса Код, в районе теперешнего Провинстауна. Спустя десять лет Уильям Брэдфорд вспоминал тот памятный день: «Лето уже миновало, и всё предстало нам оголённое непогодой; вся местность, заросшая лесом, являла вид неприютный и дикий. Позади простирался грозный океан, который пересекли мы и который теперь неодолимой преградой отделял нас от циви-лизованного мира… Что могло теперь поддержать нас, кроме Духа Господнего и его милости?»

Обелиск пилигримам на мысе Кейп-Код

Именно в те дни у берегов Кейп-Кода написавший приведённые строки потерял свою жену Дороти. Она утонула, упав с корабля.

Тресковый мыс

Кейп-Код (*Cape Cod*) представляет собой узкий полуостров в форме серпа, вытянувшийся в океане на сорок миль. Своим названием он обязан английскому мореплавателю Бартоломью Госнольду, который побывал здесь в 1602 году и увидел большие скопления трески. С тех пор название Кейп-Код (Тресковый мыс) закрепилось на географических картах. В американскую историю Госнольд вошёл наравне с Джоном Смитом как один из основателей колонии в Вирджинии (Госнольд умер в Джеймстауне в первую голодную зиму).

Во все времена Тресковый мыс считался опасным для мореплавания из-за большого количества прибрежных отмелей, особенно коварных во время отлива. Капитану «Мейфлауэра» не удалось подойти близко к берегам Кейп-Кода. Корабль бросил якорь в миле от американской земли.

В день подписания «Мейфлауэрского договора» предполагалась высадка пилигримов на материк. Однако бот, предназначенный для нужд колонии, был повреждён штормом. Для его починки требовалось несколько дней. Решили воспользоваться корабельной шлюпкой и отправить на берег вооружённых мушкетами и топорами добровольцев. Колонистам требовались съестные припасы и топливо для камбуза и обогрева отсыревших помещений корабля.

Отряд из шестнадцати самых крепких мужчин возглавил Майлз Стэндиш — «капитан» пилигримов, ветеран войны в Голландии против испанцев. Разведчики долго бродили по дюнам Кейп-Кода и зарослям. Лес казался пустынным. Когда стемнело, они возвратились на корабль, принеся с собой сухой можжевельник и немного съедобных ракушек, которые выкопали из песка во время отлива.

Следующим днём было воскресенье, время поста и моления, когда пилигримы надевали тёмные одежды в знак памяти о Христе. Ранним утром 13 ноября на той же корабельной шлюпке переправили на землю всех пассажиров, способных двигаться. Туда же отбуксировали бот для дальнейшего ремонта. Впервые за шестьдесят восемь дней женщины смогли выстирать бельё на берегу.

Капитан «Мейфлауэра» Кристофер Джонс, стремясь поскорее вернуться на родину, торопил колонистов с окончательной высадкой. Команда корабля, наспех собранная в Англии из случайного люда, также враждебно относилась к «божьим людям» и могла поднять бунт в любой момент. Из-за отсутствия лодки пилигримам было очень трудно найти подходящее место для поселения: с удобной бухтой, безопасное на случай возможного нападения индейцев и с надёжным источником питьевой воды. Оставался единственный выход — пешая разведывательная экспедиция.

15 ноября отряд Майлза Стэндиша вновь отправился в глубь материка. В первый же день издали заметили нескольких индейцев с собакой. Завидя пришельцев, те скрылись в зарослях. Два-три часа преследования аборигенов ничего не дали, к тому же отряд потерял дорогу. Ночь пришлось провести в лесу, поочерёдно меняя часовых. Люди сильно страдали от жажды.

Утром пилигримы набрели на расчищенное место, которое оказалось заброшенным маисовым полем. Неподалёку были невысокие песчаные холмики, покрытые старыми циновками. Они разрыли один из них и обнаружили, к своему ужасу, полусгнившие стрелы и останки индейского воина.

Среди разрушенных туземных жилищ кто-то нашёл большой железный корабельный котёл. Возможно, то был котёл с французского корабля, потерпевшего крушение у мыса Код в 1617 году. Все спасшиеся члены французской команды, за исключением троих, были перебиты дикарями.

В результате поисков в селении обнаружили несколько корзин с зерном и початками маиса. Но ещё большую радость доставил найденный источник пресной воды. После затхлого и скудного питья на «Мейфлауэре» люди глотали родниковую воду, по словам участника похода У. Брэдфорда, так, «как будто они пили впервые в жизни».

Прихватив котёл, наполненный кукурузным зерном, люди Стэндиша вышли к океанскому берегу и разожгли большой костёр: для оставшихся на корабле это был знак, что с экспедицией всё в порядке.

Обратный путь для тяжело нагруженных и ослабленных голодом людей занял более суток. Зерно, которое им удалось доставить на корабль, спасло не одну жизнь в грядущую жестокую зиму. Возвращение прошло относительно благополучно, если не считать того, что Уильям Брэдфорд попал в искусно сделанную индейцами ловушку для оленей и чудом не получил при этом каких-либо серьёзных повреждений.

Тем временем на борту «Мейфлауэра» родился мальчик, которому дали имя Пилигрим. В отличие от Океануса, умершего зимой, Пилигрим прожил долгую жизнь. Он получил впоследствии большой надел земли как «первый англичанин, рождённый в этих местах» и умер в 1704 году, став свидетелем многих событий ранней истории Новой Англии.

Когда корабельный бот наконец был исправлен, к брошенной индейской деревне вновь отправили разведчиков. На этот раз им удалось раздобыть не только кукурузное зерно, но и большой запас фасоли. Некоторые пилигримы склонялись к строительству здесь поселения. К этому их подталкивали и усиливающиеся угрозы моряков, желавших плыть домой. «Были и такие, — вспоминал Брэдфорд, — которые говорили, что если вскоре не отыщем подходящего места, то выгрузят нас с имуществом на берег и там оставят».

По договорённости с капитаном Джонсом, переждав очередной шторм, выслали ещё одну экспедицию. Брэдфорд писал: «Было очень холодно, и морские брызги, замерзая на одежде, делали людей похожими на стеклянные фигуры». На берегу разведчики вновь заметили нескольких индейцев, которые потрошили «огромную рыбу, вроде дельфина». К вечеру второго дня разведчики выбрали удобное место для ночлега и огородили его сваленными деревьями. «Будучи очень утомлены, они расположились на отдых. Но около полуночи услышали громкий и отвратительный вой. Они вскочили и сделали несколько выстрелов из мушкетов, после чего наступила тишина. Решили, что то были волки или иные дикие звери».

На рассвете пилигримы снова услышали знакомый жуткий вой. В следующий миг из зарослей полетели стрелы. Все побежали к боту и, укрывшись там, начали отстреливаться. Индейцы же стремительно отступили и растворились в лесной глуши.

Отбив нападение, разведчики двинулись на боте дальше. По словам одного из моряков, бывавших здесь ранее, в нескольких часах плавания находилась удобная для корабля бухта. К вечеру погода испортилась: сначала пошёл густой мокрый снег, затем налетел шквал, который сорвал парус, сломал мачту и едва не перевернул судно. «Тут оказалось, что моряк ошибся и сказал: «Помилуй нас Господь, никогда я этого места не видал»». С огромным трудом добрались на вёслах до берега. Наступила морозная ночь. Мокрая одежда обледенела. Разводить костёр было слишком опасно: боялись нападения индейцев. Без сна, не выпуская оружия из рук, они сидели, прижавшись друг к другу. Утром пилигримы обнаружили, что находятся на небольшом острове, расположенном в бухте, довольно удобной для стоянки кораблей.

Пилигримы сошли на каменистый американский берег 11 (22) декабря. Теперь этот день считается праздничным и носит название «День праотцов» (*Forefathers' Day*). Бухта с близлежащими холмами выглядела защищённой от штормов, здесь же обнаружили широкий ручей с хорошей питьевой водой. На карте Джона Смита этот участок берега был обозначен как Плимут.

Монумент праотцам в Плимуте

Плантация

звестный писатель Айзек Азимов в книге «Освоение Северной Америки» справедливо заметил: «Астронавты на Луне, имевшие постоянную связь с Землёй и возможность вернуться за три дня, были менее изолированы и чувствовали себя ближе к дому, чем первые колонисты…»

16 декабря 1620 года «Мейфлауэр» пересёк залив, образуемый мысом Код, и бросил якорь в Плимутской бухте. Теперь было очевидно, что, несмотря на противодействие капитана Джонса и его команды, кораблю придётся зимовать у американских берегов. Путь через Атлантику в середине зимы представлялся слишком опасным. Но это не мешало морякам подталкивать «божьих людей» поскорее покинуть судно.

Пилигримы выгружали свой скарб по пояс в ледяной воде — бухта во время отлива оказалась слишком мелкой даже для бота. На берегу сразу же приступили к сооружению из брёвен баррикады от возможного нападения из леса. С наступлением ночи колонисты оставили на суше несколько часовых для охраны имущества, а сами вернулись на «Мейфлауэр». Утром следующего дня все работоспособные поселенцы вновь были на берегу и приступили к возведению первого жилища. За четыре дня, под нескончаемым ледяным дождём со снегом, пилигримы построили квадратный в плане Общинный дом, где можно было проводить ночи, тесно прижавшись друг к другу. Одновременно на близлежащем холме сооружали деревянную платформу, на которую потом водрузили небольшую корабельную пушку.

Наступил новый 1621 год. В первые же его дни из-за большой скученности людей и чьей-то неосторожности в Общинном доме вспыхнул пожар. Жертв, по счастью, не было (хотя внутри хранился порох), но пришлось заново начинать строительство на заснеженном берегу. В огне потеряли и часть столь драгоценного имущества. Первым жилищем колонистов стали наскоро построенные землянки.

Голод и физические лишения постепенно сделали своё дело: в ту зиму на плантации прочно поселилась смерть. В январе-феврале каждый день умирал по крайней мере один человек. Пилигримы хоронили тела тайно, по ночам, на близлежащем холме, чтобы индейцы не догадались, как слаба стала колония. В первую зиму в Плимуте погибла половина его жителей.

Колонисты ели моллюсков и древесную кору, откапывали замёрзших насекомых и коренья, пытались ловить в силки белок и мелкую птицу, мясо которой было жёстким и пахло рыбой. Помощи от команды «Мейфлауэра» было немного. Моряки сами страдали от недоедания и цинги и отказывались делиться продовольствием. У. Брэдфорд писал в своей плимутской хронике: «В самые тяжёлые моменты здоровыми оказывались не более шести или семи человек и которые, да будут они помянуты добрым словом, не считаясь с собственными страданиями, трудились денно и нощно, рискуя собственным здоровьем и не жалея сил, рубили для других дрова, разжигали огонь, готовили им пищу, убирали постели, стирали их одежду, запачканную нечистотами, одевали и раздевали их; словом, делали всю необходимую работу… В числе этих семи были почтеннейший старейшина Уильям Брюстер и военный начальник капитан Майлз Стэндиш, коим я и многие другие в беспомощном нашем состоянии весьма были обязаны».

Как выяснилось впоследствии, индейцы знали о положении дел в колонии. Но местное племя вампаноагов само было ослаблено из-за эпидемии неизвестной болезни, и его численность резко уменьшилась (пилигримы увидели конечный результат этой эпидемии — заброшенные индейские поселения). Поэтому ни аборигены, ни пришельцы пока не стремились вступать в прямое столкновение. Работавшие в лесу колонисты периодически слышали воинственные крики туземцев; однажды те украли неосторожно оставленные без присмотра плотницкие инструменты.

Ранней весной 1621 года произошло событие необычайное. Из леса вышел индеец, который направился прямо к поселенцам и поприветствовал их на английском языке. После этого он попросил «огненной воды». Его угостили галетами и ромом из корабельных припасов. Индейца звали Самосет, и он мог изъясняться на ломаном английском. «Из беседы с ним выяснилось, что был он не здешний, а с побережья, куда английские корабли приходили ловить рыбу; он с ними спознался, у них-то и выучился языку»,— рассказал Брэдфорд. Целомудренных поселенцев весьма смущало, что индеец был одет лишь в символическую набедренную повязку. Джон Карвер подарил ему солдатский плащ.

Однажды Самосет вернулся в компании шестидесяти индейцев в боевом обличье, которые составляли стражу своего вождя по имени Массасойт («Жёлтое Перо»). Вождь остановился на безопасном расстоянии, ожидая ответного шага из Плимута. К нему навстречу отправился поселенец Эдвард Уинслоу с подарками—парой ножей, галетами и кувшином «огненной воды». Уинслоу при помощи Самосета сообщил, что «большой сахем» английский король Иаков желает непременно заключить союз с таким влиятельным воином, как Массасойт.

Вождь решил войти в Плимут в сопровождении двадцати индейцев, но мудро предпочёл задержать Уинслоу в качестве заложника среди оставшихся воинов. Массасойта принимали в наиболее готовом плимутском доме. Губернатор Джон Карвер явился с торжественным эскортом под командой капитана Стэндиша; его выход сопровождался боем барабана.

После угощения и обмена вежливыми жестами индейцы отведали «огненной воды» и в благодарность спели и сплясали. Затем обе стороны подписали договор, согласно которому вампаноаги и колонисты брали на себя обязательства о ненападении и взаимной помощи в случае появления общего врага. Индейцы вернули украденные топоры, а колонисты расплатились за зерно, взятое в индейской деревне на Кейп-Коде.

Большинство историков сходится во мнении, что мирный договор с Массасойтом позволил Плимуту выстоять в крайне неблагоприятных условиях. Навещавшие поселенцев индейцы научили их сажать маис, ловить рыбу в реке, используя нехитрые приспособления. Местные способы выращивания кукурузы казались европейцам непривычными: «Когда молодые листья на белом дубе станут величиной с мышиное ухо, можно сажать маис в земляные лунки». Главным секретом успеха оказалось использование органических удобрений — вместе с семенами индейцы зарывали в лунки рыбные останки. Далее необходимо было охранять посевы от медведей, койотов и прочих лесных любителей рыбы.

5 апреля 1621 года «Мейфлауэр» поднял паруса и ушёл в Англию. Отныне пилигримы могли полагаться только на собственные силы. В отличие от обитателей других американских колоний, никто из переселенцев не захотел вернуться на родину. Корабль отправился из Плимута без всякого груза: пилигримы не смогли выполнить соглашение с лондонскими акционерами о поставках колониальных товаров.

Спустя неделю после отплытия «Мейфлауэра» умер от солнечного удара работавший в поле Джон Карвер, первый губернатор колонии. Его именем впоследствии был назван соседний с Плимутом городок. Новым губернатором избрали Уильяма Брэдфорда, который правил колонией без малого тридцать лет.

К лету жизнь молодой общины наладилась, хотя по-прежнему поселенцы жили впроголодь. Привезённые из Англии семена бобов и пшеницы взошли плохо, так что вся надежда оставалась на «индейский хлеб». Некоторые тайком воровали с полей ещё не созревшую кукурузу. Пойманных нещадно секли. Наличных денег у большинства поселенцев было совсем немного, и роль расчётной единицы играло маисовое зерно, самая большая ценность в колонии.

Долгое время в Плимуте не было священника. Его обязанности исполнял старейшина Брюстер с помощью дьякона Фуллера. 12 мая 1621 года Уильям Брюстер совершил первый на территории будущих США обряд гражданского бракосочетания: вдовец Эдвард Уинслоу взял в жёны овдовевшую прошлой зимой Сюзанну Уайт. С этого времени институт гражданского брака (по голландскому образцу) прочно утвердился в Новом Плимуте.

Осенью 1621 года прибежал гонец от индейцев с вестью о приближении «большой крылатой пироги». Поначалу решили, что это французский или испанский корабль и зарядили на всякий случай пушку. Капитан Майлз Стэндиш собрал и вооружил всех мужчин. Но приближавшееся к плантации судно подняло на мачте английский флаг. То был парусник «Фортуна», снаряжённый лондонскими акционерами.

Поначалу корабль пристал к мысу Код, где англичане увидели лишь голое и безлюдное место. Как писал Брэдфорд, «они предположили, что поселенцы умерли или перебиты индейцами». Тем большей оказалась радость встречи. Среди прибывших тридцати пяти пассажиров было несколько лейденцев, в их числе старший сын Уильяма Брюстера Джонатан. Колонисты не привезли с собой никакой провизии и сколь-нибудь существенного инвентаря. Зато было сердитое письмо от одного из лондонских акционеров с упрёками о задержке «Мейфлауэра» до весны и отсутствии товара на нём. В письме содержалось предупреждение, что, если «Фортуна» не доставит какой-либо ценный груз в Англию, плимутской колонии откажут в финансировании.

Корабль нагрузили чем смогли. В основном это была дубовая клёпка и небольшое количество бобровых шкур, выменянных у индейцев. Но «Фортуна» не оправдала своего названия. На пути в Англию судно было захвачено французскими пиратами. Корсары обобрали до нитки корабль и команду, но оставили живыми людей и позволили вернуться порожняком на родину.

Первый плимутский урожай маиса по осени, хоть и необильный, вселял надежду, что угроза голодной смерти зимой отступила. После жатвы поселенцы объявили трёхдневное празднество, дабы отблагодарить Бога. На День Благодарения (*Thanksgiving Day*) пригласили Массасойта. Вождь прибыл в сопровождении девяноста воинов. Увидев небогатый стол колонистов, он отдал приказ, и индейцы вернулись с пятью оленьими тушами.

День Благодарения сегодня, наряду с Рождеством,— самый любимый семейный праздник американцев. Он сильно отли-

Церковь пилигримов в Плимуте

чается от того первого плимутского торжества: стол переселенцев был украшен не знаменитой индейкой с клюквенным соусом, а лишь скромными дарами природы—кукурузными лепёшками, морскими моллюсками, сушёными ягодами на десерт. В ту осень 1621 года пилигримы праздновали не просто хороший урожай—они отмечали свой великий успех. Несмотря на все страдания и потери, это был триумф первой колонии Новой Англии. И сегодняшняя Америка хранит в памяти свершения отцов-пилигримов.

Дни и труды

Повседневная жизнь Плимутского поселения, подробно описанная губернатором Брэдфордом, состояла главным образом из многочасового тяжёлого труда. Вызывавшими интерес событиями считались свадьбы и похороны, привлечение к наказанию нарушивших светские и религиозные установления, длинные воскресные проповеди, редкие появления торгового корабля. Реалиями были всегдашнее недоедание, ночные дежурства, нашествия саранчи летом, падёж домашних животных, постоянный ремонт соломенных крыш, пожары, пожирающие сухие деревянные строения, лесные тропы, размокшие после дождя, деревья, поваленные в бурю, зубная боль, цинга и дизентерия от плохого питания зимой. В далёкой России А. С. Пушкин, познакомившись со сценами ранней американской истории, писал в статье «Джон Теннер»: «Это длинная повесть о застреленных зверях, о метелях, о голодных, дальних шествиях… о жизни бедной и трудной, о нуждах, непонятных для чад образованности».

Пилигримов нередко изображают упрямыми и ограниченными религиозными сектантами, что весьма далеко от истины. Известно, что старейшина Брюстер оставил после своей смерти в 1643 году библиотеку в четыреста томов. Среди книг капитана Майлза Стэндиша были «Илиада», «Записки» Юлия Цезаря, фолианты по английской и европейской истории. Крестьянский сын Уильям Брэдфорд, судя по его ссылкам в «Истории Плимутского поселения», был хорошо знаком не только со Святым Писанием, но и с трудами древних — Плиния, Сократа, Сенеки.

«Основатели Новой Англии, — писал историк Р. Дж. Адамс, — были не просто образованными людьми — они были людьми хорошо образованными. Даже оставаясь в ограничительных рамках своих религиозных воззрений, они обладали способностью ясно видеть, размышлять».

В своей знаменитой летописи «*Of Plymouth Plantation*» У. Брэдфорд не только подробно рассказывал о «днях и трудах» колонии, но и затрагивал весьма острые социально-политические проблемы. Так, в 1623 году губернатор решил отказаться от неэффективной практики коллективного землепользования на уравнительных началах. Объясняя такое решение, он явно полемизировал в своём дневнике с создателем «Утопии» Томасом Мором: «Опыт общего хозяйства, которое старались вести несколько лет, при этом с людьми набожными и разумными, убеждает в ошибочности суждений Платона и других древних, кому кое-кто рукоплескал и в более поздние времена, будто, лишив людей собственности и сделав всё имущество общественным, можно привести их к счастию и процветанию, как если бы они были мудрее Бога… Пусть не говорят, что дело не в самой идее, а в испорченности людей. Я отвечаю: коль скоро испорченность эта присуща всем людям, то Господь в мудрости своей предусмотрел иной путь, более для них подходящий».

В июне 1624 года, незадолго до своей смерти, король Иаков I ликвидировал Вирджинскую компанию, несмотря на активную парламентскую оппозицию с участием сэра Эдвина Сэндиса и Фрэнсиса Бэкона. Поводом послужил донос, что руководители компании намеревались создать в Америке «свободное государство». Король ошибся ровно на сто пятьдесят лет, увидев лишь начало американского самоуправления и развития демократических институтов.

Для Плимутской колонии, основанной вне пределов юрисдикции Вирджинской компании, указ короля означал лишь большую независимость де-факто. По истечении первоначального семилетнего договора в Плимуте смогли собрать значительную сумму в тысячу восемьсот фунтов, необходимую для того, чтобы расплатиться с лондонскими купцами, вложившими деньги в смелое предприятие.

В 1624 году Эдвард Уинслоу привёз из Англии в Плимут первого быка и трёх коров. Событие, важность которого трудно переоценить. После того как коровы на новом месте не стали доиться, пришлось завозить и сеять английский луговой клевер.

В «Общей истории» Джона Смита можно найти описание состояния дел в колонии в то время: «В Новом Плимуте около 180 жителей, небольшое количество крупного рогатого скота и коз, но много свиней и домашней птицы; 32 жилых дома, 7 из которых сгорели во время пожара прошлой зимой, а также на 5 тысяч фунтов остального имущества и товаров; город занимает территорию в полмили окружностью...»

Коммерческая деятельность колонистов находилась под постоянной угрозой из-за пиратства на морях, экономической и политической нестабильности в самой Англии и продолжавшейся Тридцатилетней войны в Европе. Первые товары колонии, отправляемые в Англию, были достаточно скромны — древесина, зола для мыловарения, дёготь. В 1625 году плимутцы смогли с большим трудом полностью загрузить сушёной треской торговый корабль «Литл Джеймс», специально построенный лондонскими купцами-компаньонами. На судне был также груз бобровых шкур. Уже в проливе Ла-Манш, вблизи британских берегов, «Литл Джеймс» захватили пираты, которые привели корабль в Марокко и продали капитана и всю команду в рабство.

27 марта 1625 года Иаков I умер; его сын, двадцатипятилетний принц Уэльский, стал «королём Англии, Шотландии и Ирландии» Карлом I. Вместе с короной отца он унаследовал не только стремительно приближающуюся к кризису страну, но и ненавистного всей Англии фаворита герцога Бэкингема, который и при Карле оставался полновластным хозяином го-

Памятник Уильяму Брэдфорду в Плимуте

сударства. Никто тогда не мог и помыслить, что три года спустя офицер-пуританин вонзит кинжал в грудь всесильного временщика, а сам монарх впоследствии будет предан суду и взойдёт на эшафот.

В 1627 году Новый Плимут посетил голландец Исаак де Расьерс, секретарь губернатора колонии Новые Нидерланды (будущего Нью-Йорка). Годом позже в письме к купцу в Амстердам он подробно рассказал об увиденном. Описания Расьерса оказались наиболее основательным и точным свидетельством жизни и быта колонии и легли в основу реконструкции Плимутского поселения, проведённой в середине XX века. Голландец писал: «Дома построены из тёсаных брёвен, за ними сады, огороженные заборами; дома и дворы расположены в строгом порядке и обнесены частоколом на случай неожиданного нападения; в конце улиц находится трое ворот. В центре, на перекрёстке улиц,—дом губернатора, перед которым лежит квадратная площадь, окружённая изгородью с четырьмя небольшими пушками над нею, направленными вдоль улиц. На холме у них—мощное квадратное здание, построенное из толстых досок, укреплённых дубовыми брусьями; на плоской крыше этого здания установлено шесть пушек, господствующих над окружающей местностью… Всё это говорит о том, что ни днём, ни ночью не забывают они о необходимости быть на страже».

Постоянные меры по укреплению поселения не были лишними. Ещё в первый год существования Плимута колонисты получили «послание» от воинственного племени наррагансетов—пучок стрел, завёрнутых в змеиную шкуру. Индеец-переводчик пояснил, что это означает вызов на бой. Ответ поселенцев был, по словам Брэдфорда, «решительным»: аборигенам передали ту же змеиную шкуру, наполненную порохом и пулями. Аргументы пилигримов оказались весомыми—удара дикарей так и не последовало. В Плимуте знали о вероломном нападении индейцев на поселенцев в Вирджинии в 1622 году, в результате которого погибли почти четыреста человек, а сама колония была разорена.

Музей пилигримов

Плимут поддерживал добрососедские отношения с Массасойтом. Эдвард Уинслоу неоднократно совершал «дипломатические» путешествия с подарками в стан вождя вампаноагов (в район теперешнего города Карвера). Договор с Массасойтом сохранял силу почти четыре десятилетия, до смерти Жёлтого Пера. Спустя триста лет плимутцы воздвигли в центре города памятник индейскому вождю.

Через шестнадцать лет после основания, осенью 1636 года, Новый Плимут принял имевший первостепенное значение документ под названием «Великие основы» («*The Great Fundamentals*»). Согласно ему, высшей законодательной властью в колонии было признано Общее собрание, избиравшееся ежегодно. Собрание утверждало законы и налоги, избирало губернатора и его заместителей, казначея и констеблей. В «Основах» также определялись общие судебно-правовые нормы колонии, предписывающие беспристрастное отношение к подсудимому, независимо от его социального положения. Лишение жизни, свободы, доброго имени и имущества могло производиться только по приговору суда и в законном порядке.

«Великие основы» нашли своё историческое продолжение в важнейших законах американской республики. Историк С. Э. Морисон писал: ««Основы» были фактической конституцией колонии. Они были эквивалентны Биллю о правах и были первым Биллем о правах в Америке».

Лидеры Нового Плимута сумели создать трезвую и практичную общественную структуру, в которой сила религиозных заповедей служила сугубо гражданским целям. Основным же итогом деятельности отцов-пилигримов стала почти полная социально-политическая автономия колонии. Крохотный посёлок в одну улицу, зажатый между океаном и непроходимым лесом, вырос в административный центр, столицу колонии с обширной территорией и десятком поселений.

По образцу Плимута в последующие десятилетия создавались новые поселения на территории нынешних штатов Массачусетс, Коннектикут и Род-Айленд, где были заключены соглашения, сходные с «Мейфлауэрским договором». Впоследствии губернатор Брэдфорд написал несколько возвышенно по этому поводу: «Так из скромного начала проистекли великие дела — мановением руки Того, кто сделал всё из ничего и создаёт всё сущее; и как одной малой свечой можно зажечь тысячу, так и свет, зажжённый здесь, осветил многих, можно даже сказать — всю нашу нацию».

«Город тушёных бобов»

Четвертого марта 1629 года Карл I даровал хартию новой «Компании Массачусетской бухты в Новой Англии». За два дня до этого король распустил английский парламент и не созывал его одиннадцать лет. Оба события связаны не только хронологически. Причиной роспуска парламента явился его отказ утвердить новые налоговые сборы. Казна была пуста, и расточительный король изыскивал источники её пополнения.

«Компания Массачусетской бухты» стала довольно типичным для того времени акционерным колонизационным предприятием. Само название *Massachusetts*, закрепившееся впоследствии за одним из штатов Новой Англии, в переводе с индейского означало «место больших холмов» (название впервые встречается в трудах Джона Смита).

Компания насчитывала более ста пайщиков, среди которых были как ищущие обогащения дворяне, так и лондонские торговцы, кожевенники, пивовары, оружейники. Согласно хартии, пятая часть добытого в Америке золота и серебра шла королю. Среди руководителей Массачусетской компании довольно скоро выделились люди, входившие в пуританское окружение герцога Линкольна, одного из главных спонсоров предприятия. Среди них был видный правовед и теолог Джон Уинтроп (*Winthrop*).

Уинтроп происходил из семьи зажиточных джентри графства Саффолк. Его отец был финансовым контролёром двух университетских колледжей в Кембридже. Сам Джон, окончив Кембридж, сделался юристом и практиковал сначала в качестве судьи у себя в графстве, а затем — в Лондоне при суде по делам опеки. Он стал известен ещё в 1624 году, оказавшись в числе подателей петиции от графства Саффолк, в которой перечислялись многочисленные пороки властей: «папизм», казнокрадство, судебная волокита, произвольное налогообложение — и излагались доводы в пользу реформ. В год, когда король распустил парламент, пуританин Уинтроп лишился должности в опекунском суде, а герцог Линкольн отправился в Тауэр за свои убеждения.

В трудах Джона Смита имеются следующие строки: «мистер Джон Уинтроп… человек столь же достойный, сколь и состоятельный, отправился в путь, обеспеченный самым наилучшим образом (с ним ехало около 600–700 человек)». На эскадре в одиннадцать судов разместили также двести сорок голов крупного рогатого скота и шестьдесят лошадей. Это была самая крупная из когда-либо покидавших Англию колонизационных экспедиций.

На головном корабле «Арбелла» (названном в честь дочери герцога Линкольна) губернатор Уинтроп, на пути в Новый Свет, прочёл свою программную проповедь. Он говорил о возведении земного Сиона — «Града на Холме», где жизнь будет строиться на основе библейских заповедей.

После двухмесячных поисков надёжного источника пресной воды и безопасного от нападения волков и индейцев места, 7 сентября 1630 года в устье реки Чарльз был основан Бостон (в сорока милях севернее Плимута).

Первоначально поселение называли Тримаунтен — из-за трёх высоких холмов в массачусетской бухте. На сегодняшний день из них уцелел только один — Бикон-Хилл, где находится Капитолий штата Массачусетс, а прежнее название сохранилось лишь в наименовании улицы Тремонт и на старинном гербе Бостона.

В первую голодную зиму бостонцы потеряли около двухсот человек, среди них были леди Арбелла и сын Джона Уинтропа Генри. Как написал Джон Смит, «несмотря на всё, благородный губернатор не потерял присутствия духа; все промахи и неудачи не заставили его раскаяться в затеянном деле».

«Град на Холме» с момента основания оказался самым крупным поселением в Новой Англии. Под жёстким руководством губернатора Уинтропа колония строилась и развивала торговлю. Порядки и нравы бостонских пуритан отличались особой суровостью. Жестокие наказания полагались за идолопоклонство, супружескую измену, содомию, колдовство, ношение яркой и броской одежды, курение табака, злословие, несоблюдение субботы, как они на библейский манер именовали воскресенье. В центре Бостона сохранился Лягушачий пруд, куда благочестивые пуритане окунали нарушивших каноны общины.

Горожане, свято соблюдавшие закон субботы, не могли разводить в день отдохновения огонь. Как и в случае еврейской традиции, это наложило отпечаток на приготовление еды. Блюда, в частности из бобов с солониной, готовились накануне и оставались весь следующий день в тёплой печи. С тех пор и появилось одно из насмешливых прозвищ Бостона — «Бобовый город» (Bean Town).

Осенью 1636 года на противоположном от Бостона берегу реки Чарльз был основан Кембриджский колледж, первый в Америке. Учебное заведение поначалу насчитывало всего девять студентов и одного преподавателя. Через два года массачусетский пастор Джон Гарвард оставил по завещанию колледжу свою библиотеку в 400 томов и значительное состояние. В благодарность за щедрое пожертвование учебное заведение было названо его именем, а подворье в Коровьем ряду получило название «Гарвардский двор». Историки считают, что не кто иной, как Шекспир в своё время познакомил в Лондоне родителей будущего филантропа, чьё имя носит один из самых престижных университетов США.

С 1636 года началась переселенческая волна в Коннектикут, как постепенно стали называть край, лежащий по среднему и нижнему течению одноимённой реки. Хартфорд, в ста милях южнее Бостона, и несколько других поселений образовали впоследствии новую американскую колонию Коннектикут.

Выдающийся представитель английского Просвещения, философ и историк Дэвид Юм писал о развитии американских колоний: «Дух независимости, пробуждавшийся тогда в Англии, здесь засверкал в полном блеске, обретя новую силу в смелости и предприимчивости тех, кто, не желая мириться с монархией и государственной церковью, отправлялся искать свободу посреди этих диких пустынь».

Два губернатора, Уильям Брэдфорд и Джон Уинтроп, несмотря на определённые разногласия между сепаратистами и пуританами, поддерживали добрососедские отношения. Они состояли в переписке и наносили друг другу визиты. В судьбе лидеров двух общин прослеживается много общего: религиозное диссидентство на родине и трагическая гибель близких в эмиграции, желание взрастить на новой почве «истинное общество» и тяга к литературному творчеству (оба оставили обширное эпистолярное наследие и мемуары). Брэдфорд и Уинтроп были не просто первыми историками Новой Англии; их сочинения представляют собой удивительную исповедь людей, взваливших на свои плечи немыслимый груз строительства на новом берегу Плантации Духа.

Их великие соотечественники творили легенду об Америке: шекспировский Гонзаго мечтал об этой сказочной стране, Томас Мор создал страну Утопию в Новом Свете, грезил о «Новой Атлантиде» Фрэнсис Бэкон. Но написать первые страницы захватывающей американской драмы выпало на долю Уильяма Брюстера и Джона Карвера, Уильяма Брэдфорда и Джона Уинтропа.

История колоний Новой Англии напрямую связана с растущей «великой смутой» в самой Британии. Карл I возложил задачу искоренения кальвинизма на одного из видных прелатов Англии — шестидесятилетнего лондонского епископа Уильяма Лода. Король сделал его архиепископом Кентерберийским, примасом англиканской церкви. Церковные суды под началом Лода могли штрафовать и сажать в тюрьмы, осуществлять цензуру и отбирать детей у родителей, вызывающих подозрения; судебные агенты вламывались в жилища и в поисках крамольных книг переворачивали дома вверх дном. Приверженцы официальной церкви распевали песню, содержавшую оскорбления в адрес пуритан, обзывали их «мнимыми избранниками», «дьяволовым отродьем» и «псевдонабожной дрянью».

Репрессии властей вызвали массовое бегство в Америку. Через двадцать лет после прибытия «Мейфлауэра», в 1640 году, население Новой Англии составляло уже двадцать тысяч человек; историки назвали эту переселенческую волну «Великой миграцией». Интересно, что в 1631 году сельский сквайр Оливер Кромвель, депутат разогнанного королём парламента, распродал своё имущество и сел на корабль, отправлявшийся в Новый Свет. Трудно сказать, как сложилась бы судьба самого Кромвеля и как развивалась бы британская история, не задержи этот корабль королевские портовые власти.

У фанатичного и мстительного Лода дошли наконец руки и до заокеанских поселений. Архиепископ добился от Карла I учреждения Королевской комиссии по упорядочению дел колоний. Документ от 28 апреля 1634 года наделял комиссию под руководством Лода «властью для покровительства и управления» всеми колониями, настоящими и будущими, с правом наказывать «всех оскорбителей и нарушителей установлений и ордонансов, арестовывая их, заключая в тюрьму, отсекая члены или лишая жизни».

В 1635 году Эдвард Уинслоу отправился в Лондон улаживать торгово-хозяйственные дела Плимутской колонии. По доносу недоброжелателей он попал в поле зрения комиссии Лода. Архиепископ Кентерберийский лично допросил Уинслоу, обвинил его в распространении ереси в новых землях и отправил в тюрьму. Плимутец провёл в заточении четыре месяца и был, по счастью, выкуплен при помощи друзей. Некоторые историки считают, что Бостону и Плимуту удалось избежать карательной экспедиции лишь благодаря тому, что в Англии вскоре разразилась гражданская война.

Еретики и отступники

«В любопытной истории одного из первых поселений Новой Англии, известного под именем Мерри-Маунта, или Весёлой горы, кроется материал для целого философского романа»,— написал в 1836 году известный американский литератор Натаниэль Готорн.

Одним из тех «джентльменов-авантюристов», которыми во множестве пестрели страницы ранней американской истории, был Томас Мортон. Удачливый делец и кутила, он обосновался между Бостоном и Плимутом (в районе теперешнего города Квинси) и не без основания назвал свою факторию Мерри-Маунт. Здесь Мортон скупал у индейцев пушнину, продавал им оружие и выпивку и — к негодованию отцов-пилигримов — предавался в компании своих спутников и индианок всяческому пороку, нагло попирая, таким образом, Божьи заповеди. Возмущённый Брэдфорд назвал Весёлую гору «школой атеизма».

Против нечестивца поначалу предпринимались меры дипломатического характера, но безуспешно. После того как Мортон со товарищи на 1 мая 1628 года воздвиг, согласно старым языческим верованиям, Майский столб и, по словам Брэдфорда «возродил безумные и бесстыдные вакханалии», против него отправили военную экспедицию под командой Майлза Стэндиша. Уильям Брэдфорд писал: «Они нашли его готовым к обороне: двери забаррикадированы, сообщники вооружены, порох и пули под рукой на столе; и если б не нагрузились они чрезмерно крепкими напитками, наделали бы много бед». В конечном итоге нетрезвый «гарнизон» Мерри-Маунта удалось разоружить. «Жертв ни с той, ни с другой стороны не было,— вспоминал плимутский губернатор,— разве что один из них до того был пьян, что упал носом на остриё меча, потеряв немного своей буйной крови».

Томаса Мортона отправили с первым кораблём в Англию. На родине «идолопоклонник» сумел доказать свою невиновность, а затем издал в Амстердаме книгу о своих приключениях, назвав её «Новоанглийский Ханаан». Мортон оказался не лишённым литературного дара; его произведение представляет собой живую и едкую сатиру на жизнь и нравы поселенцев Новой Англии. Более того, наравне с хроникой Уильяма Брэдфорда «Новоанглийский Ханаан», несмотря на весь субъективизм, стал одним из важнейших источников по ранней истории американских поселений.

Прибывший в Массачусетс в 1631 году пастор Роджер Уильямс отличался особой учёностью. Он прошёл полный курс Кембриджского университета, но отказался от карьеры юриста. Уильямс называл себя «искателем» и не был сторонником определённого протестантского вероучения. В Бостоне ему предложили пост настоятеля главной церкви города. Уильямс не принял столь лестное предложение, мотивируя отказ тем, что бостонская церковь не до конца порвала с англиканством. Священник обосновался в Сейлеме, севернее Бостона, где начал проповедовать среди местной паствы. Очень скоро Бостонский магистрат усмотрел в его речах прямую опасность.

Молодой проповедник объявил недействительными хартию, дарованную колонии Карлом I, и основанные на ней земельные права колонистов. Притязания короны на американские земли Уильямс отверг как кощунственные и заявил, что поскольку вся американская земля принадлежит индейцам, то её надо не захватывать, а выкупать путём мирных переговоров. Роджер Уильямс называл короля узурпатором, богохульником и лгуном. Это явно противоречило избранной поселенцами дипломатии в отношении королевской власти. Губернатор Уинтроп писал, что Уильямс «провоцирует против нас недовольство короля и вкладывает в его руку меч, чтобы тот уничтожил нас».

В 1633 году Роджер Уильямс вынужден был перебраться в Плимут, где надеялся обрести единомышленников среди сепаратистов. История его взаимоотношений с отцами-пилигримами не сохранилась. Хроника Брэдфорда в этом месте неожиданно становится сухой и краткой: «Впал он в странные заблуждения и принялся их проповедовать, отчего произошло у него с общиной несогласие, а затем и недовольство с его стороны, заставившее его внезапно нас покинуть».

О причинах разлада молодого радикала с властями Новой Англии можно лишь догадываться. Известно, что в те годы он писал трактат, в котором призывал к либерализации религиозных доктрин, терпимости к любой вере, включая мусульманскую и иудейскую. В поисках принципов гражданской и духовной свободы он слишком опередил своё время. Главное произведение, названное «Кровавый догмат преследования», Уильямс посвятил английскому парламенту, который незамедлительно осудил «еретическую» книгу и приговорил её к сожжению.

Из Плимута путь Роджера Уильямса вновь лежал на берега Массачусетского залива, в Бостон. Однако теперь он уже не мог рассчитывать на радушный приём. В 1635 году вольнодумца предали суду, лишили сана и приговорили к принудительной высылке в Англию. Ночью, накануне отправки на корабль, проповедник сбежал и переселился в глухую местность к югу от Массачусетса, где основал поселение Провиденс («Провидение»), впоследствии — столицу колонии Род-Айленд.

История с Томасом Мортоном получила новое и неожиданное развитие спустя пятнадцать лет. Он вернулся в 1643 году в Новую Англию под чужим именем и возобновил торговлю с индейцами и «бесовские игрища» в Мерри-Маунте. На этот раз терпение лопнуло у губернатора Джона Уинтропа. После рейда бостонцев на Мерри-Маунт имущество «слуги дьявола» конфисковали, поселение сожгли дотла, а сам автор «Новоанглийского Ханаана» в кандалах был отправлен в Лондон для суда.

Привязанность Томаса Мортона к Америке оказалась воистину неистребимой. «Несколько лет спустя, — написал Брэдфорд, — когда в Англии шла война, он снова сюда явился и был в Бостоне заключён в тюрьму за книгу свою и за иные дела, ибо закоснел во зле». Из тюрьмы Мортон уже не вышел.

Чтобы понять духовный мир и побуждения первых поселенцев Новой Англии, лучше всего обратиться к их моральным авторитетам. Джон Уинтроп в речи на Генеральной ассамблее Массачусетса 3 июня 1645 года обосновал пуританскую концепцию нравственно-правовых возможностей человека. По его мнению, существует два вида свободы: естественная и моральная. Естественная свобода присуща человеку и всем тварям. Такая свобода, не ограничивая человека в помыслах и поступках, лишь растлевает его. «Это свобода в равной мере творить добро и зло. Как раз против зверя в нас и направлены все законы Божьи… Свободу другого вида я называю гражданской, или федеральной, она может быть также названа моральной — в свете соглашения между Богом и человеком в моральном законе и конституции и политических соглашений между самими людьми. Такая свобода — настоящая цель и объект власти и не может существовать без неё; и только она — истинна, справедлива и честна. За такую свободу мы и стоим, рискуя, если необходимо, не только имуществом нашим, но и жизнью».

Конфедерация

В конце лета 1642 года Карл I, бежавший из мятежного Лондона на север страны, поднял королевский штандарт над замком в Ноттингеме (в ста милях от Скруби). Карл призвал под знамёна представителей старой феодальной знати, которых в народе прозвали «кавалерами». Противников короля и сторонников парламента именовали «круглоголовыми» (пуритане носили короткие стрижки). Спустя неделю королевский штандарт с начертанным на нём девизом «За Бога и короля» сорвало в Ноттингеме ветром. Это считалось дурным предзнаменованием.

Гражданская война вызвала существенные политические перемены не только в Англии, но и в американских колониях. Вирджиния, где утвердилась официальная англиканская церковь и куда бежало большое количество роялистов, объявила о своей лояльности Карлу I. Колонии Новой Англии проявляли сочувствие пуританскому парламенту и впоследствии республике. 19 мая 1643 года они объединились в Конфедерацию Новой Англии — первый в истории союз американских колоний.

В обширной Плимутской колонии проживало в то время две с половиной тысячи жителей и насчитывалось десять поселений на Кейп-Коде и материке (Даксбери, Маршфилд и др.) Формально Новоанглийская конфедерация образовалась для защиты от возможного нападения индейцев и враждебных государств. Однако не менее важной причиной создания политического союза были опасения поселенцев Плимута, Бостона и Коннектикута, что успехи роялистов, которых те добились в начальный период гражданской войны в Англии, могут натолкнуть короля на мысль о вмешательстве в жизнь колоний.

В 1645 году кавалерия Кромвеля нанесла Карлу I окончательное поражение. Король, обрезав волосы и бороду и переодевшись в костюм слуги, вновь бежал на север страны, где стояли шотландские войска. Внук Марии Стюарт рассчитывал на великодушие шотландских лордов, но те выдали его англичанам за четыреста тысяч фунтов стерлингов. 30 января 1649 года король взошёл на эшафот в Лондоне и был обезглавлен при большом стечении народа. Гонителя пуритан архиепископа Лода заключили в Тауэр и затем казнили. Палата лордов и все церковные суды упразднялись.

Актом парламента от 19 мая 1649 года Англия была провозглашена республикой. «В первый год свободы, Божьим благословением восстановленной», — значилось на новой государственной печати, скрепившей этот исторический акт. Интересно, что из всех монархов Европы один лишь царь Алексей Михайлович, отец Петра Великого, прервал всякие сношения с республикой «цареубийц» и изгнал английских негоциантов из пределов своего государства.

Старый, многовековой давности иерархический миропорядок был сокрушён. В скромной бревенчатой хижине по ту сторону Атлантики Уильям Брэдфорд приветствовал наступление Нового Времени: «Не думал я, начиная эти записки, что падение епископов со всеми их судами, канонами и обрядами было столь близко и что доведётся мне до него дожить; и свершилось это Божьим велением, и ему подобает дивиться!»

Неожиданно быстрый расцвет политического и религиозного радикализма в Англии многие исследователи непосредственно связывают с заокеанским влиянием. Новоанглийские идеи и верования возвращались в метрополию, питая революционную волну. Когда английские пуритане создали однопалатную парламентскую республику, они заимствовали социальный опыт колоний Новой Англии.

Посланником Конфедерации в Лондоне стал Эдвард Уинслоу, не раз проявлявший свои дипломатические способности. Протектор Англии Кромвель поначалу решил оставить его в столице, но затем отправил с военной экспедицией для овладения Эспаньолой (Гаити). Англичане не добились успеха на Гаити, но завоевали остров Ямайку. На обратном пути Уинслоу скончался на борту корабля и нашёл своё последнее пристанище в водах Атлантики.

Целый ряд плимутцев и бостонцев вписали своё имя не только в американскую, но и британскую историю того времени. Племянник губернатора Уинтропа Джордж Даунинг, один из первых выпускников Гарварда, сделал дипломатическую карьеру по ту сторону океана. Он оказался полезным слугой двух господ—парламента и короля; его имя носит знаменитая лондонская Даунинг-стрит, где находится резиденция главы британского правительства. Массачусетский пастор Хью Питерс стал личным капелланом Кромвеля и, по слухам, скрывался под красной маской палача Карла I. Плимутец Томас Уиллет в составе английского флота участвовал в захвате голландского Нового Амстердама в 1664 году и стал первым английским мэром этого города, переименованного в Нью-Йорк.

Вражда между пуританской Новой Англией и англиканской Вирджинией была характерным отражением британской междоусобицы в Америке. Как только весть о казни Карла I достигла берегов Нового Света, вирджинцы присягнули его сыну и наследнику Карлу II. Несогласные объявлялись государственными изменниками. Новая Англия на какое-то время разорвала все торговые связи с Вирджинией. Будь эти колонии ближе друг к другу, между ними могла бы даже вспыхнуть война. События

1640-х годов показали огромные различия между американскими регионами: Север выступал против Юга, парламент — против короля, пуритане — против англикан, простолюдины — против аристократии. Противостояние Севера и Юга было сильно выраженной структурной чертой, которая с самого начала определило историю будущих Соединённых Штатов.

«Соединённые колонии Новой Англии» уже в то время высказывали стремление вести независимую политику. Конфедерация хранила верность разогнанному Кромвелем парламенту и не признала его пожизненным протектором Англии. Плимут и Бостон не подчинились британским Навигационным актам и другим постановлениям, стеснявшим американскую торговлю.

Несмотря на всю политическую аморфность, Конфедерация просуществовала почти полвека, в значительной степени подготовив объединение Бостона и Плимута в 1691 году в единую колонию Массачусетс.

Не менее важным в историческом плане оказалась роль колоний Новой Англии как прообраза будущих Соединённых Штатов. Историк Дэниел Бурстин, автор трёхтомного труда «Американцы», писал: «Пуритан, как и американцев многих последующих поколений, больше волновали успешно функционирующие институты, нежели блеск всеобщих истин. Понятие «новоанглийский путь» — не что иное, как ранний прообраз современного понятия «американский образ жизни»... Пуританской ортодоксии Америка обязана появлением практического гражданского законодательства. Отличавшее пуритан стремление к разработке платформ, программ действий, идей федеративного устройства — всё это в значительно большей мере, нежели присущий им религиозный догматизм, определило своеобразие их общественного уклада, предвосхитив особенности политической жизни Америки в течение последующих веков».

Так история нескольких религиозных общин — небольшой эпизод в общей истории европейской Реформации — приобрела эпохальное мировое значение. Именно здесь, в Новой Англии, были прочерчены контуры новой общественной формации. В 1831 году французский историк и социолог Алексис де Токвиль написал: «Цивилизация Новой Англии была подобна огням, зажжённым на высотах, которые, распространяя тепло вокруг них, окрашивают своим светом последние пределы горизонта».

Обретение реликвий

Каждая нация имеет свои святыни, свой центр исторической системы координат: Храмовая гора в Иерусалиме, римский Форум, Красная площадь... Плимутский камень (*Plymouth Rock*) стал отправной точкой Американского пути.

Никому доподлинно неизвестно точное место высадки пилигримов на американский берег. Уильям Брэдфорд не упоминал о Плимутском камне в своём дневнике. Большой гранитный валун на берегу многие годы не привлекал внимания горожан.

В 1741 году планировалось построить новую плимутскую верфь, и местные власти решили уничтожить мешавший им обломок горной породы. И тогда старейший плимутский житель, девяностопятилетний Томас Фонс, принесённый в кресле своими внуками на берег, выступил с речью перед горожанами. Фонс рассказал, что его отец, один из пилигримов, поведал ему в раннем детстве историю о камне, на который ступила нога первого поселенца. Так и родилось самое знаменитое предание Новой Англии.

В 1774 году, в канун Американской революции, местным патриотам пришла в голову идея перенести камень на городскую площадь, чтобы «дух независимости» вновь воспрял среди плимутцев. Две дюжины парных воловьих упряжек попытались извлечь валун из его ложа, в результате чего тот раскололся (очевидно, в граните изначально существовала трещина). Нижняя его часть так и осталась на берегу, а верхнюю удалось перетащить на холм в центре Плимута. Камень пролежал на городской площади несколько десятилетий, сильно

Гранитный портик над Плимутским камнем

уменьшившись в размере благодаря многочисленным любителям сувениров.

В 1834 году национальную святыню потревожили вновь. Камень с площади перевезли ко входу в открывшийся в Плимуте Музей пилигримов—старейший из общественных музеев в США. Реликвию обнесли чугунной решёткой, дабы уберечь гранит от ретивых «поклонников старины».

В 1880 году «камень праотцов» проделал путь назад, на берег моря. Обе гранитные половины решили соединить на первоначальном месте (с тех пор на камне заметён цементный шов). На плоской поверхности высекли дату «1620», возвели ограду и приставили круглосуточную стражу. К этому времени широко распространилась торговля подлинными и поддельными сувенирами из «камня пилигримов»; изделия из плимутского гранита в хорошей оправе даже стали специализацией некоторых ювелирных мастерских.

Основоположник европейской историографии США Алексис де Токвиль писал: «Эта скала сделалась предметом поклонения в Соединённых Штатах. Я видел её обломки, бережно хранимые во многих городах страны. Не является ли это красноречивым свидетельством того, что могущество и величие человека заключены прежде всего в его душе? Камень, к которому всего лишь несколько мгновений прикасались ноги горсточки несчастных, становится знаменитым, он привлекает к себе взоры великого народа, его обломки почитаются как святыня, и даже пыль его превращается в достояние нации. А между тем что стало с порталами множества дворцов?..»

Среди многочисленных загадок в «пилигримской саге» есть и история о происхождении плимутского герба. В 1624 году лондонские акционеры прислали в колонию официальную печать для использования в делопроизводстве (Плимут стал первой американской колонией, где ввели регистрацию юридических документов). На круглом поле печати размещены четыре коленопреклонённые фигуры, которые держат в руках нечто напоминающее букет из листьев табака.

Для историков это изображение оказалось головоломкой: пилигримы почти не преклоняли колен и совсем не одобряли «питие табака», как тогда именовали курение. Надпись на печати по-латыни гласит: «*Sigillum Societatis Plimoth Nova Anglia*» («Печать сообщества Плимут в Новой Англии»).

Существовало множество версий о появлении этих малопонятных символов. В конечном счёте исследователи сошлись на предположении, что лондонские купцы-компаньоны отправили плимутцам случайно подвернувшуюся дубовую печать (вероятно, купленную изначально для Вирджинии, где выращивался табак). Гравёр просто выполнил по заказу акционеров новую надпись и добавил дату «1620». Так или иначе, необычное изображение превратилось в сегодняшний герб Плимута — города и графства штата Массачусетс.

Судьба рукописной «Истории Плимутского поселения» («*Of Plymouth Plantation*») носит и вовсе детективный характер. Уильям Брэдфорд не собирался публиковать свой дневник. После его смерти в 1657 году манускрипт объёмом в 270 листов *in folio* перешёл в руки сына, а затем—внуку. Он-то и передал его настоятелю Старой Южной церкви Бостона, одному из ранних историков Новой Англии Томасу Принсу. Опубликовав несколько отрывков, Принс отправил рукопись в архив, находившийся в башне церкви. Здесь она пролежала не менее полувека, до начала Войны за независимость США.

Английские солдаты превратили Старую Южную церковь в манеж для конной выездки. Многие уникальные документы, включая дневник Брэдфорда и его письма, из архива исчезли. Спустя почти два десятилетия, в 1793 году, в бакалейной лавке в канадском порту Галифакс (куда эвакуировались из Бостона английские войска) обнаружили несколько личных писем губернатора Брэдфорда. Написанные на широких и плотных листах бумаги, они использовались хозяином лавки для заворачивания покупок—мыла и рыбы. Часть писем была спасена, но сама «История Плимутского поселения» считалась безвозвратно утерянной. В связи с этим интересно отметить, что «Дневник» Джона Уинтропа также хранился в Старой Южной церкви и часть его погибла из-за пожара.

По прошествии ещё полувека легендарный манускрипт Брэдфорда неожиданно обнаружился в библиотеке Фулемского дворца, резиденции епископа Лондонского. Каким был путь «Истории Плимутского поселения»—из Старой Южной церкви в Бостоне до берегов Темзы,—останется навсегда загадкой. Поначалу отрывки из анонимной рукописи фулемской библиотеки появились в 1844 году в труде епископа Оксфордского о церквях Новой Англии. Вскоре два независимых исследователя ранней истории Массачусетса пришли к одинаковому выводу, что анонимный источник—не что иное, как исчезнувший дневник Уильяма Брэдфорда.

В 1856 году «История Плимутского поселения» впервые увидела свет, через двести лет после смерти её создателя (книга была напечатана по снятой копии одновременно в Лондоне и Бостоне). Именно с этого времени отцы-пилигримы из давней полузабытой легенды вновь обрели кровь и плоть, превратились в реальных персонажей истории Америки. «Они вновь начали дышать,—писал исследователь Джордж Ф. Уиллисон,—

Старая Южная церковь в Бостоне, где хранилась рукопись Брэдфорда

стали вновь любить, и ненавидеть, и бороться так, как умели это делать только они».

Ещё несколько десятилетий продолжались переговоры о возвращении знаменитого манускрипта домой, в Массачусетс. Судьбу его решила епископская консистория на особом заседании в лондонском Соборе Святого Павла. В 1897 году рукопись Брэдфорда ещё раз проделала путь через океан и с тех пор находится в Бостоне, в особом стеклянном хранилище в здании Капитолия штата Массачусетс.

«Отчий дом Америки», как иногда называют Плимут, спустя столетия сохранил патриархальный облик. И дело здесь не только в обилии исторической тематики, хотя она очень наглядна: гранитный портик, укрывший Плимутский камень, английская копия парусника «Мейфлауэр» у причала, воссозданная плимутская плантация с костюмированными представлениями. Сам же город остался типичным для Новой Англии небольшим поселением с рыбацкими лодками в гавани, двухэтажными деревянными домами в традиционном колониальном стиле, узкой и оживлённой главной улицей Корт.

Первые шаги отцов-пилигримов на этой земле вышли за плимутские границы и стали всеамериканским культурным наследием — Соглашение на «Мейфлауэре», День Благодарения и особая протестантская «закваска», в значительной мере определившая национальный американский характер. В небольшом курортном городке, несмотря на изобилие туристической «пилигримской» символики, сегодня мало что напоминает об одиссее первопроходцев — цинге, дизентерии и грязи корабельных трюмов, голоде и лютой стуже, неведомых угрозах из лесного мрака, страстных проповедях и богословских диспутах при свете лучины. И только морская волна, как и четыре столетия назад, с холодным шелестом набегает на каменистый плимутский берег.

ЖИЗНЬ НА ОСТРОВЕ

П ервооткрывателем узкого острова Манхэттен, исторического центра нынешнего Нью-Йорка, принято считать Джованни да Верраццано, флорентинца на службе французской короны. Летом 1524 года он обнаружил обширную нью-йоркскую бухту, но на остров не высаживался. Судьба этого исследователя, соотечественника Америго Веспуччи, оказалась печальной: через четыре года Верраццано будет убит и съеден аборигенами одного из Карибских островов.

Европейские торговые державы, хищные соперницы на океанских просторах, искали короткий путь к сокровищам Востока. В 1602 году Генеральные Штаты Республики Семи Объединённых Провинций (в просторечии—Голландской республики) основали Вест-Индскую компанию, поставив перед ней задачу: найти северо-западный проход из Америки в Азию, а заодно присоединить к Нидерландам открытые по пути земли.

В 1609 году экспедиция этой компании под командованием шотландца Генри Хадсона (в русской традиции—Гудзона) открыла, исследовала и составила карту залива и дельты реки, получившей его имя. Корабль Гудзона «Халве Маан» («Полумесяц») в поисках прохода в Тихий океан поднялся на двести миль вверх по реке, сначала полноводной, но затем всё заметнее мелеющей. По возвращении в Британию в конце 1609 года Гудзон был арестован за плавание под чужим флагом, нарушение Навигационных актов и других английских законов. Впрочем, капитана вскоре освободили—чтобы он вновь искал

Река Гудзон

мифический северо-западный проход в Китай. Путешествие 1611 года оказалось для Генри Гудзона и его сына последним: взбунтовавшийся экипаж высадил их в лодку без еды и воды.

Тем временем деятельные голландцы начали осваивать узкий и длинный остров в устье Гудзона. Самым крупным из поселений стал заложенный в 1624 году форт Новый Амстердам (*Nieuw Amsterdam*) на южной оконечности Манхэттена. В мае 1626 года «генерал-директор» Нового Амстердама Петер Минёйт (*Minuit*) купил у местных индейцев племени манахатта всю территорию острова. Общая стоимость сделки оценивалась примерно в 60 гульденов — именно на такую сумму Минёйт передал индейцам одежду, медный котёл, топоры и разнообразные безделушки. Даже с учётом четырёхсотлетней инфляции стоимость этой покупки в долларах не превышает современную ренту крохотной квартирки в Манхэттене на один месяц.

Голландский форт, укреплённый земляными валами и несколькими пушками, стал стратегическим центром колонии Новые Нидерланды. Расположенный в дельте реки, он обеспечивал безопасность прохода судам Вест-Индской компании, торговавшим в верховьях Гудзона пушниной с местными индейскими племенами. О главных занятиях будущего города Нью-Йорка говорит его старинная печать, почти не изменившаяся с тех пор: на ней изображены два бобра, две бочки для муки и крылья ветряной мельницы.

Голландская компания не оценила административные и коммерческие таланты Петера Минёйта. В 1631 году он был отозван в Старый Свет и уволен по неизвестным причинам. Тогда бывший «генерал-директор» Нового Амстердама отправился искать удачу при дворе королевы Кристины в Стокгольме.

В те годы победившая в Тридцатилетней войне и достигшая в Европе вершины своего могущества Швеция решила обзавестись собственными заокеанскими колониями. Потомки викингов под началом Минёйта весной 1638 года начали осваивать берега реки Делавэр, сделав своей столицей форт Кристину (современный город Уилмингтон в штате Делавэр). В августе того же года неугомонный Петер Минёйт отправился на один из Карибских островов для очередной коммерческой сделки. Его корабль затонул во время урагана.

Многие имена, связанные с колонией Новая Швеция (швед. *Nya Sverige*), достойны упоминания. Её губернатор Юхан

Бьёрнсон Принц ранее служил наёмником в Италии, Австрии, Франции, Пруссии. Сей муж был огромного роста и выдающихся объёмов, за что заслужил у местных индейцев прозвище «Большой живот». В правление Принца Новая Швеция распространилась на территории современных американских штатов Делавэр, Пенсильвания и Нью-Джерси. И вполне возможно, что столь значимая в истории США Филадельфия при определённом историческом раскладе могла бы именоваться Новым Гётеборгом.

Другой губернатор Новой Швеции, Юхан Классон Рисинг, был более удачлив как экономист, нежели политик. Он служил секретарём Коммерц-коллегии в Стокгольме и написал первый в Швеции учебник по экономике. В истории же Нового Света он памятен тем, что летом 1654 года атаковал близлежащие голландские поселения и вызвал конфликт, который через год привёл к поражению американских шведов от американских голландцев.

Из-за тяжёлых условий жизни и труда в колонии большую часть поселенцев Новой Швеции, особенно в конце её существования, составили не шведы, а безземельные финны, так называемые лесные финны, из подвластных Стокгольму балтийских территорий. Поэтому финский язык был распространён в колонии, а свою новую родину выходцы из страны Суоми звали *Uusi-Ruotsi*. Ответственным за переселение финнов был губернатор Новой Швеции Петер Холландер Риддер. В прошлом морской офицер, Риддер после возвращения из Америки стал губернатором крепости Выборг (впоследствии города Ленинградской области).

У скандинавской колонии оказался не лишённый литературного дара летописец. Пастор Израэль Акрелиус, занимавший церковную кафедру в Кристине, составил в 1659 году «Описание Новой Швеции» («*Beskrifning... om Nya Swerige*»), по сути первое в истории литературное сочинение, созданное непосредственно в Делавэре и Пенсильвании. Варяги оставили немалый след и в материальной культуре США. «Шведы привезли в Америку изобретение, которое со временем стало неотъемлемой частью легенд о первых поселенцах,—писал Айзек Азимов.—Это была бревенчатая хижина (log cabin.—*Л. С.*), типичная для севера Скандинавии, которая, благодаря простоте конструкции и способности держать тепло во время суровой зимы, намного превосходила все остальные типы построек. Такая хижина постепенно завоевала все рубежи Северной Америки».

При общей географической и правовой неразберихе в Западном полушарии случались и весьма курьёзные эпизоды. Карибский остров Тобаго, открытый ещё Колумбом, в середине XVII столетия стал объектом колонизации маленького герцогства Курляндского, в то время вассала Речи Посполитой.

Якоб фон Кетлер, герцог Курляндский, старался играть собственную партию в европейском оркестре. В 1653–1659 годах честолюбивый герцог отправил за океан несколько экспедиций из своих подданных, в основном латышских крестьян и ремесленников, которым Якоб обещал дать вольную. Помимо выращивания традиционных колониальных культур, курляндцы-латыши наладили экспорт в Европу черепашьих панцирей и перьев тропических птиц.

Король Швеции Карл X как-то произнёс: «Якоб слишком богат и силён, чтобы быть только герцогом, но слишком беден и мал, чтобы стать королём». В ходе очередной северной войны шведы взяли в плен герцога Курляндского и заявили претензии на его владения не только на Балтике, но и на Карибах. На том история тропической Новой Курляндии закончилась. «Бесхозный» остров в итоге прибрали расторопные подданные страны тюльпанов. Впрочем, ещё при внуке Якоба, Фридрихе Вильгельме, в Курляндии продолжали символически назначать губернаторов Тобаго. Сам же внук нам более памятен тем, что взял в жёны племянницу Петра I, будущую русскую императрицу Анну Иоанновну.

К началу 1660-х годов город на острове Манхэттен разросся: по переписи, в нём проживало полторы тысячи человек, говоривших на дюжине языков—от валлонского наречия до иврита. В Новом Амстердаме появилась главная широкая дорога (*Breede weg*), которую позже англичане переименуют на свой манер в Бродвей. Нравы будущего Нью-Йорка уже тогда вызы-

Карта Нью-Йорка 1660 г.

вали опасения. «Все они пьют здесь, начиная с момента, когда научатся есть с ложечки, а все женщины, молодые или старые, курят»,— с негодованием писал хроникёр того времени.

Разбираться с американской вольницей направили в 1647 году нового губернатора Питера Стайвесанта (*Stuyvesant*). Сын кальвинистского пастора Стайвесант, ставший храбрым солдатом Нидерландов, в схватке с испанцами за карибский остров Святого Мартина потерял правую ногу; её пришлось заменить деревянной. В Новом Амстердаме «колченогий Питер» наводил порядок железной рукой. Он создал полицию и положил начало уличному планированию, реорганизовал городское управление и учредил общественные школы. Непреклонный кальвинист, он ввёл запрет на алкоголь по воскресеньям — этот закон в разных интерпретациях просуществовал дольше других, до 2004 года.

Анналы города на Гудзоне хранят множественные деяния Стайвесанта. Губернатор возглавил военную экспедицию по захвату Новой Швеции, а также распорядился возвести к северу от города оборонительный земляной вал с высоким забором. Голландское название улицы-вала *Waal Straat* уже при англичанах трансформировалось в известную ныне всем Уолл-стрит. На близлежащих землях были основаны поселения Брекелин (современный Бруклин), Бронкс и другие будущие части Большого Нью-Йорка.

В августе 1664 года колонию Новые Нидерланды и губернатора Стайвесанта постигло сокрушительное фиаско. Четыре английских фрегата с отборными батальонами на борту вошли в гавань Нового Амстердама. Командующий эскадрой полковник Ричард Николс предъявил британский королевский патент на эти земли и предложил голландцам бескровную капитуляцию. По легенде, английский монарх Карл II «подарил» долину реки Гудзон своему младшему брату Иакову, герцогу Йоркскому, на день рождения.

Старый вояка Питер Стайвесант, конечно, не собирался сдаваться без боя. Но перепуганные члены магистрата обратились к нему с петицией, убеждая выбросить белый флаг, ибо город не сможет выдержать атак превосходящих сил. Говорят, «железный муж» сломался, когда увидел в числе прочих подпись своего восемнадцатилетнего сына Балтазара. Едва сдерживая слёзы стыда, губернатор подписал документ о капитуляции. Сдача города, впрочем, была почётной: самому Стайвесанту оставили имущество и земли, а голландским бюргерам сохранили гражданские права и свободу вероисповедания.

8 сентября 1664 года Новый Амстердам был переименован в Нью-Йорк, в честь нового владельца герцога Йоркского, будущего короля Иакова II. Историк и американский президент Теодор Рузвельт, потомок первых голландских поселенцев, высказался об Иакове II нелицеприятно: «Нью-Йорк хранит память о тупом и жестоком фанатике, короткое правление которого приблизило завершение подлой власти королей династии Стюартов».

В том же 1664 году из новой английской колонии была выделена территория, ставшая впоследствии штатом Нью-Джерси. Через год была установлена граница между Нью-Йорком и Коннектикутом, и с тех пор она не изменялась.

Отставной губернатор Питер Стайвесант удалился в своё имение (недалеко от нынешней улицы Лексингтон в середине Манхэттена) и никогда более не приезжал в изменивший присяге город. Говорили, что даже кресло в его доме стояло так, чтобы не видеть растущего британского Нью-Йорка.

Крупнейший мегаполис США отчасти сохранил голландскую топонимику, а флаг штата Нью-Йорк—цвета триколора Нидерландов. В язык и быт американцев вошло множество голландских понятий, потомки первых колонистов на Гудзоне сыграли видную роль в истории страны. Среди них—президенты Соединённых Штатов Мартин Ван Бюрен, Теодор и Франклин Рузвельты, влиятельные кланы Вандербильтов, Рокфеллеров и многих других. Также от весёлых голландцев Америке достались Санта-Клаус и празднование Рождества.

ЧЕТЫРЕ БУРБОНСКИЕ ЛИЛИИ

Думайте, читайте, смотрите.

А. Дюма

Географ и солдат

В 1608 году в разных концах мира случились два внешне не связанных между собой события. На высоком берегу канадской реки Святого Лаврентия был заложен город Квебек, который станет форпостом Франции в Северной Америке. В тот же год небогатый гасконский дворянин Бертран де Бац де Кастельмор сочетался браком с Франсуазой де Монтескью. От этого брака через несколько лет родился Шарль Ожье де Бац де Кастельмор, который под именем д'Артаньяна и по воле писателя Александра Дюма станет одним из самых ярких символов Франции.

Хроники провинции Квебек — увлекательный роман, создателями которого были французские короли и их фавориты, кардиналы и епископы, мушкетёры и колонизаторы, торговцы и миссионеры. Ещё в 1535 году бретонский моряк Жак Картье принёс сюда флаг Франции. Он поднялся вверх по реке Сен-Лоран (Святого Лаврентия) и объявил открытые им земли владением галльской короны — Новой Францией. Картье дал название ряду географических мест, включая увиденную им 10 августа, в день святого Лаврентия, реку, и нанёс на карту само слово «Канада», что на языке местных индейцев-ирокезов означало «поселение».

Александр Дюма-старший, самый популярный в мире французский писатель, не особенно интересовался Новым Светом, хотя был связан с ним корнями. Его бабка, чернокожая рабыня Мари-Сезетта из Сан-Доминго, была наложницей нормандского дворянина и плантатора. Карибский мезальянс привёл к появлению на свет отца писателя, будущего генерала наполеоновской армии. Курчавый и смуглый «арап» Александр Дюма помещал своих литературных героев главным образом в интерьеры старой королевской Франции. В отношении же своих самых известных персонажей великий сочинитель признался, что четвёрка мушкетёров — всего лишь «признанные публикой побочные дети моего воображения». Впрочем, к подлинной судьбе гасконца д'Артаньяна нам ещё предстоит вернуться.

«Три человека, о жизни которых я расскажу, обладали, хотя и в разной мере, одними и теми же достоинствами (как бы различно они ни проявлялись): силой, храбростью, рыцарственной самоотверженностью, ненавистью к подлецам и одним и тем же недостатком — тщеславием…» — писал биограф Дюма Андре Моруа. Его слова вполне можно отнести к другим романтическим французским героям, реальным участникам важных событий, создававшим шпагой и духом необыкновенно красочную историю.

«Отцом Новой Франции» называют Самюэля де Шамплена (*Samuel de Champlain*). Географ и путешественник родился в 1567 году в маленьком портовом городке Бруаж (область Сентонж у Бискайского залива). Потомственный моряк рано начал бороздить Атлантику, побывал на Карибских островах и в Мексике. Вернувшись на родину, напечатал «Краткий рассказ об удивительных вещах, которые Самюэль Шамплен из Бруажа наблюдал в Западной Индии», приложив к книге шесть десятков географических карт и иллюстраций. Французский монарх Генрих IV Наваррский заинтересовался книгой и в 1601 году назначил Шамплена на должность королевского географа, дал ему жалование и низшее дворянское звание (сьер де Шамплен де Сентонж).

Первое изображение форта Квебек, сделанное С. Шампленом

В 1602 году Генрих IV, поддержавший идею французской колонизации Нового Света, даровал монопольное право на торговлю мехами в Канаде группе купцов из Руана. Эта гильдия, первая в ряду компаний, которые в течение следующих десятилетий фактически владели Новой Францией, снарядила экспедицию и пригласила Шамплена в качестве картографа и исследователя. Так королевский географ де Сентонж начал самое главное и честолюбивое предприятие своей жизни.

В течение следующих тридцати лет отважный француз исследовал и наносил на карту восточное побережье Северной Америки и её внутренние районы, а 3 июля 1608 года заложил в ста тридцати лье от устья реки Святого Лаврентия форт, дав ему название Квебек (*Quebec*): на языке туземцев это означало «сужение реки».

В фактории Квебек поначалу обосновались 28 колонистов, которым предстояло выжить в долгие суровые зимы и выдержать атаки индейцев и извечных врагов-англичан. Сначала они жили в наспех возведённых деревянных жилищах. Построенное через несколько лет первое—и долгое время единственное—каменное здание Квебека было очень неказистым и тесным. Оно имело два низких этажа и небольшую смотровую башню. Сейчас на этом месте расположена Королевская площадь Квебека.

О человеческих качествах Шамплена известно мало. Во время одной из первых канадских зимовок он основал Орден хорошего настроения (*L'Ordre de Bon Temps*). Этот орден был первым социальным клубом ещё не существующей страны, по правилам которого каждый джентльмен на один день становился главным стюардом и заботился о меню для всех членов колонии. За общим столом трапезничали и распевали песни; за крохотным окном царил мрак зимней пустыни, и бесилась вьюга на скованной льдом реке.

Шамплен получал мало помощи из далёкой Франции. Его покровитель Генрих IV в 1610 году пал от кинжала религиозного фанатика. Сменивший его на престоле Людовик XIII мало интересовался заокеанской колонией. Франция переживала очередные внутренние раздоры и втянулась в длитель-

Королевская площадь

ные войны на европейском континенте. Купеческим гильдиям недоставало капитала для дальнейшей колонизации новых земель.

Долгое время Квебек ничем не напоминал «столичный» город. Шамплену же виделось блестящее будущее своего детища. Французский форт на высоком скалистом мысе Диамант «оседлал» могучую реку Святого Лаврентия — главный водный и торговый путь внутрь материка. Сам же неутомимый Шамплен продолжал совершать длительные и опасные вояжи в неизведанные земли. Он первым из европейцев описал Адирондакские горы и большое озеро, разделяющее нынешние американские штаты Вермонт и Нью-Йорк, не отказав себе в удовольствии назвать озеро собственным именем.

Королевская площадь (Пляс Руаяль) стала центром жизни старого Квебека. Здесь появлялись охотники и торговцы пушниной, совершались купеческие сделки. Здесь же казнили преступников, первым из которых уже в 1608 году стал некий Жан Дюваль — за организацию заговора против Шамплена с целью продать Новую Францию испанцам. Сегодня старую площадь, сердце нижней, торговой части города, украшает памятник «королю-солнцу» Людовику XIV, подарок парижского муниципалитета (бронзовая копия версальской работы Дж. Бернини). Но историческая справедливость требует назвать имя другого французского политика, который сыграл не менее важную роль в судьбе Квебека и Канады. Это хорошо известный нам по романам Дюма-отца кардинал де Ришелье.

Благодаря бойкому перу Александра Дюма, возник и укоренился образ коварного и циничного кардинала, интригам которого противостояли благородные герои «Трёх мушкетёров». В реальности Арман-Жан дю Плесси, герцог де Ришелье, всесильный первый министр Людовика XIII, был выдающимся государственным мужем, с именем которого связывают возвышение французского королевства в ранг величайшей державы Европы. Он реорганизовал армию и построил флот, учредил Французскую академию и вёл умелую дипломатию. Кроме того, он запретил дуэли — эту болезнь «долга чести», уносившую во цвете лет тысячи молодых дворянских жизней.

Исторические исследования, вопреки Дюма, говорят, что мушкетёр д'Артаньян никогда не посещал кабинет Ришелье. Юнец из Гаскони не имел ни денег, ни протекции при дворе. Его старший современник, не менее отважный Самюэль де Шамплен, встречался с кардиналом и смог убедить Его Высокопреосвященство в политической и экономической выгоде колонизации Новой Франции.

Конкурировавшие, а зачастую и враждовавшие между собой канадские купеческие компании носили громкие имена: «Украшенная геральдическими лилиями лодка святого Петра», «Деятельная и душеспасительная компания Святого Причастия» и т.д. На деле же французских негоциантов интересовала не столько колонизация нового материка, сколько барыши от добычи бобров. Ценный мех канадского бобра надолго вошёл в моду у парижской и европейской аристократии, а бобровый жир считался целительным снадобьем.

Временами всё имущество географа Шамплена, как и гасконца д'Артаньяна, составляли видавший виды плащ и острая шпага. И ещё красные каблуки — знак дворянства. Когда основатель Квебека раскладывал перед первым министром короля новые карты Канады, он понимал, что провал его начинаний может привести неудачливого прожектёра на длительный срок в Бастилию.

29 апреля 1627 года, в разгар осады Ла-Рошели, кардинал Ришелье совершил смелый и дальновидный поступок. Он аннулировал существовавшие ранее и конкурировавшие между собой торговые канадские общества и основал единую «Компанию ста акционеров Новой Франции» (*Compagnie des Cent-Associés de la Nouvelle-France*). Компания получила пятнадцатилетнюю монополию на торговлю пушниной в обмен на обязательство колонизации долины Святого Лаврентия. Каждый из ста акционеров инвестировал три тысячи ливров — в их числе был сам Ришелье и его советники. Таким образом, начальный капитал составил внушительную сумму: 300 тысяч ливров. По амбициозному плану Его Высокопреосвященства, Канада должна была превратиться в колонию, населённую

40 тысячами французов. Для этого требовалось отправлять в Северную Америку 3 тысячи колонистов ежегодно.

Реформаторский дух Ришелье особенно заметен в его канадском эдикте. «Компания ста акционеров» получила юридические права на огромную территорию «от Флориды до Полярного круга», что стало открытым политическим заявлением в сторону Лондона и Мадрида, главных соперников в колониальной Америке. Но молодые дворяне из Прованса, Гаскони или Шампани не горели желанием переселяться в Новый Свет. Веками бытовал предрассудок, что «презренной» коммерцией могут заниматься лишь «плохие французы». В 1629 году Ришелье ввёл в свод законов королевства отдельную статью, уточнявшую, что морская торговля не ведёт к потере дворянства. Более того, монсеньор первый министр объявил, что незнатные акционеры «Компании Новой Франции» могут рассчитывать на дворянские титулы.

Прижизненных портретов Самюэля де Шамплена не сохранилось; все его многочисленные изображения — плод фантазии художников последующих поколений. Поэтому мы представляем Шамплена очень похожим на д'Артаньяна, подлинный лик которого также сокрыт во тьме веков. Мы знакомы лишь с романтическим образом: военный камзол, дерзкий взгляд, длинные волнистые волосы, мушкетёрские усы и бородка.

Как писал Андре Моруа, «мало знать темперамент человека, чтобы понять его судьбу: темперамент лишь канва, по которой вышивают свои узоры события и воля». Шамплен, подобно многим пионерам-исследователям эпохи Великих географических открытий, мечтал найти путь в Индию и Китай через север и запад Америки. Его первая экспедиция по реке Оттава закончилась безрезультатно. Требования момента были иными: Шамплен вернулся во Францию, чтобы набрать колонистов, и привёз с собой монахов-францисканцев, которые помогали ему распространять христианскую веру среди туземцев. Но от своих планов он не отступился: снова поднялся по Оттаве, шёл где по воде на индейских берестяных лодках, где сотни лье пешком и первым из европейцев увидел и описал регион Великих озёр — сначала добрался до Пресноводного моря, как тогда называли озеро Гурон, затем пересёк равнины и достиг берегов Онтарио.

К несчастью для Шамплена, в Европе разразилась очередная англо-французская война. Летом 1628 года шесть британских военных кораблей под командованием Дэвида Керка — уроженца Дьеппа, попросившего убежища в Англии, — осадили Квебек. В послании, доставленном французом из числа попавших в плен, Керк доводил до сведения господина Шамплена, что он уполномочен королём Великобритании Карлом I «овладеть территорией Канады». На предложение капитуляции Самюэль де Шамплен ответил гордым отказом. Керк решил не штурмовать город на скале, а взять французов измором: к весне единственным пропитанием квебекцев стали коренья, которые они выкапывали в окрестных лесах. Керк возобновил своё предложение, и 20 июля 1629 года истощённые голодом и цингой горожане, не дождавшись помощи от матери-Франции, капитулировали. Англичане разграбили Квебек, а градоначальника Шамплена отправили в Лондон в качестве пленника.

Во французской столице Керка публично объявили врагом королевства и заочно приговорили к смертной казни. На Гревской площади перед парижской ратушей сожгли чучело «изменника и пирата», но в Лондоне король Карл I в торжественной обстановке посвятил Керка в рыцари. Впрочем, фортуна была особенно переменчивой в те времена: сэр Дэвид Керк умрёт в английской тюрьме во времена Кромвеля.

Квебек находился в руках британцев до 1632 года, когда по Сен-Жерменскому мирному договору Ришелье удалось вернуть французскую Канаду. В качестве ответного жеста Людовик XIII заплатил огромное приданое за свою сестру, принцессу Генриетту Марию, вышедшую замуж за короля Карла I.

Самюэль де Шамплен возвратился в свой город в качестве первого губернатора Новой Франции. Он оказался способным администратором, умевшим ладить и с колонистами, и с местными племенами индейцев-гуронов, и с французским королевским домом. Квебек понемногу становился процветающим торговым городом, а его основатель умер в нём в последние дни 1635 года, окружённый всеобщим уважением и почётом. Потомки первых квебекцев воздвигли монумент своему губернатору на вершине скалы, в центре Верхнего города.

Министр-кардинал Ришелье ушёл из жизни спустя семь лет, в декабре 1642 года. Его именем названа крупная река в Канаде. Другим достойным памятником герцогу стал основанный на острове при слиянии двух рек, Оттавы и Святого Лаврентия, в том же 1642 году город Монреаль. Сегодня «город королевской горы» — так переводится Монреаль — второй в мире после Парижа по числу говорящих по-французски жителей.

Наш старый знакомец д'Артаньян в те бурные годы служил в роте королевских мушкетёров, но не был замечен ни в интригах с алмазными подвесками королевы, ни у стен мятежной Ла-Рошели. Подпавшим под обаяние творчества Дюма трудно смириться с мыслью, что трое друзей отважного гасконца — Атос, Арамис и Портос, — скорее всего, не служили вместе и вряд ли были знакомы. Великий романист, сочиняя «Трёх мушкетёров», использовал найденные им в марсельской библиотеке «Мемуары господина д'Артаньяна, капитан-лейтенанта первой роты королевских мушкетёров». Сам Дюма знал, что «Мемуары» — всего лишь умелая подделка, смесь реальных событий с безудержным вымыслом, впервые опубликованная в 1700 году в Кёльне и принадлежавшая перу Гасьена де Куртиля де Сандры, автора ряда подложных «воспоминаний» (за что сей скандальный борзописец оказался в Бастилии).

Как утверждал Александр Дюма, «история для меня — всего лишь гвоздь, на который я вешаю свою картину». Большей частью его «картины» выполнялись в вольном стиле. Интересно, что другой, не менее известный гасконец, королевский мушкетёр, дуэлянт и литератор Сирано де Бержерак, воевавший вместе с д'Артаньяном при Аррасе, в одном из своих трактатов переносился в Квебек, где вёл философские беседы с губернатором Новой Франции.

После смерти Ришелье дела обширной колонии Новая Франция находились в ведении Николя Фуке, сюринтенданта (на современном языке — министра финансов) короля Людовика XIV. Он контролировал заморскую коммерцию и, среди прочих званий, носил титул вице-короля Америки. Сын судовладельца из Бретани, ставшего советником Ришелье, Николя Фуке на вершине карьеры приобрёл за миллион с лишним ливров остров Бель-Иль в Атлантическом океане — стратегический пункт, который служил рейдом для кораблей, идущих из Америки.

В этой новой французской главе Александр Дюма отыскал очередной «гвоздь» истории, имя которому Шарль Ожье де Бац де Кастельмор. Взяв более родовитую материнскую фамилию, д'Артаньян постепенно завоёвывал место под солнцем, но вовсе не так, как описано в «Трёх мушкетёрах» или «Двадцати лет спустя». Он поступил на службу к кардиналу Мазарини, преемнику Ришелье. В течение ряда лет храбрый «солдат кардинала» выполнял самые секретные и деликатные поручения двора. Наконец, в 1661 году гасконец получил свой шанс войти в Большую Историю.

Безудержное казнокрадство и взяточничество Фуке вызвали гнев молодого короля Франции Людовика XIV. «Спецоперация» по аресту зарвавшегося олигарха осуществилась под руководством младшего лейтенанта конной роты мушкетёров д'Артаньяна и подробно, хотя и неточно, описана Дюма в «Виконте де Бражелоне». 5 сентября 1661 года, в двадцать третий день рождения Людовика, д'Артаньян взял Николя Фуке под стражу на Соборной площади Нанта. Под усиленной охраной мушкетёров бывшего вице-короля Америки препроводили сначала в Бастилию, а затем под руководством его личного тюремщика д'Артаньяна — в отдалённый замок Пиньероль, где в те же годы появился таинственный узник, которого позднее окрестили «Железной маской».

На смену вальяжному аристократу Фуке пришёл сухой чиновник Жан-Батист Кольбер, новый министр финансов королевства. Для купеческой вольницы Канады наступило время перемен. Кольбер, сын торговца сукном из Реймса, разделял взгляды Ришелье на колонизацию американских земель. Результаты первой переписи населения Новой Франции были неутешительны: на её бескрайних просторах проживало немногим более трёх тысяч «добропорядочных католиков». Французы по-прежнему не соблазнялись «страной мехов». Торговый люд, так же как кандидаты в земледельцы, предпочитал снегам Канады тёплый Карибский бассейн.

Крепостные ворота

В 1663 году Людовик XIV, не удовлетворённый деятельностью частных компаньонов в Канаде, объявил Новую Францию королевской провинцией. Руками Кольбера «король-солнце» учредил в Квебеке новую административную систему. Отныне провинция управлялась Высшим Советом (*Conseil Souverain*), которому вменялось в обязанность следить за выполнением монарших эдиктов. Во главе Совета стояли губернатор, отвечавший за оборону колонии; интендант, в чьи обязанности входило отправление правосудия и экономическое развитие; и епископ, ведавший делами церкви и потому имевший огромное влияние.

В Верхнем городе, аристократической части Квебека, доминировала католическая власть: все дороги вели к Соборной площади с массивным кафедральным собором Нотр-Дам, рядом находились Духовная семинария и обитель ордена Святой Урсулы. Ещё при жизни Шамплена, в 1635 году, орден иезуитов открыл в Квебеке школу для мальчиков и колледж, первое высшее учебное заведение в Северной Америке. Известные своим педагогическим опытом, иезуиты постарались создать колледж, конкурирующий с европейскими школами. Давались курсы классической грамматики (латинской и греческой), обществоведения, риторики, философии, математики. В 1639 году прибывшие на берега Святого Лаврентия монахини-урсулинки основали монастырь и при нём школу для девочек—старейшее на континенте женское образовательное учреждение.

Среди наиболее почитаемых фигур в истории старого города—первый епископ Новой Франции Франсуа Ксавье де Монморанси-Лаваль, который поселился в Квебеке в 1659 году. Дворянский род Монморанси был знаменит в ту пору, когда о Бурбонах никто ещё и не слыхивал. Представители семейства отмечены во всех французских анналах, поскольку дали королевству двенадцать маршалов и шесть коннетаблей, однако сегодня древний род чаще вспоминается в связи с персонажем XV века Жилем де Ре, прототипом Синей Бороды. Другой дальний родственник и современник квебекского епископа, герцог Анри де Монморанси, носил титул наместника

Вход в семинарию Квебека

Новой Франции. Герцог поднял восстание в защиту прав старого дворянства, потерпел поражение и был казнён в Тулузе в 1632 году, но его именем Шамплен назвал гигантский водопад в окрестностях Квебека.

Епископ Франсуа Ксавье де Лаваль происходил из младшей ветви древа Монморанси. Деяния его на канадской земле были обширны. Епископ организовывал приходы, школы и больницы, строил храмы, а в 1663 году основал Духовную семинарию Квебека, архитектурный ансамбль которой доминирует в силуэте Верхнего города. На основе семинарии впоследствии возник старейший франкоязычный университет Канады, носящий имя преподобного Франсуа Лаваля (*Université Laval*).

Квебекцы бережно относятся к своей многовековой истории. Как писал известный канадский писатель Хью Макленнан, «никакое иное сообщество людей в Северной Америке и, за некоторым исключением, в Европе не вызывает такого сильного ощущения глубокой, омытой дождями старины». Город над крутым обрывом, со строгими каменными «нормандскими» домами и высокими серебристыми крышами, эхо французской колониальной славы, город, посвятивший себя молитвам и коммерции, миссионерству и войне, величайшим исследованиям и отчаянным авантюрам. Немалая доля этих свершений связана с яркой личностью, известной каждому жителю Квебека — графом Фронтенаком.

Дела семейные

Скорее всего, они были знакомы: делавший быструю карьеру при дворе Шарль д'Артаньян и граф Фронтенак. Гасконец фигурирует в парижских церковных списках как «лейтенант королевских мушкетёров, проживающий на улице Лягушачьего болота в приходе Сен-Сюльпис». Мушкетёр сумел заполучить выгодную придворную должность «хранителя королевского птичника». С 1665 года Шарль де Бац де Кастельмор во всех документах именуется «графом д'Артаньяном», у него даже появился герб. Завистливые паркетные шаркуны подняли шум при дворе, утверждая, что он незаслуженно присвоил себе титул (судебная тяжба за семейные привилегии продолжалась и после смерти д'Артаньяна). Фронтенак, в отличие от тщеславного гасконца, был графом настоящим.

Полное имя героя Старого и Нового света — Луи де Бюад, граф де Фронтенак и де Паллюо (*Louis de Buade, comte de Frontenac et de Palluau*). Дед будущего канадского губернатора Антуан де Бюад был оруженосцем короля Генриха IV Наваррского и за службу получил от него титул барона и замок Паллюо. При дворе Генриха IV начинались семейные предания популярных литературных героев. Шталмейстером короля был некий Полон де Монтескью, прадед мушкетёра по материнской линии, ставший первым из известных сегодня д'Артаньянов. Дед отважного Портоса (его гугенотская фамилия звучала как «де Порто») служил «офицером кухни» Генриха Наваррского, а врачом короля был некий беарнский дворянин д'Атос. Французские анналы предлагали великолепные сюжетные сплетения, многими из которых воспользовался плодовитый романист, сын генерала и внук гаитянской рабыни.

Антуан де Бюад де Паллюо продолжал исправно нести службу при следующем монархе Людовике XIII и получил от него титул графа де Фронтенака. Его сын был капитаном королевского замка Сен-Жермен в предместье Парижа. В этом замке в 1620 году родился будущий герой квебекской саги Луи де Бюад де Фронтенак. Крёстным отцом маленького Луи стал не кто иной, как Его Величество Людовик XIII.

Как мы знаем, герои «Трёх мушкетёров» совершали по большей части вымышленные подвиги. Но пассионарная Франция в избытке поставляла реальных храбрецов, готовых на каждом шагу встречать опасности и смело их преодолевать. Луи де Фронтенак участвовал в военных кампаниях в Нидерландах, Италии и Германии, дослужившись до чина бригадного генерала. В возрасте двадцати четырёх лет Фронтенак был тяжело ранен в правую руку и до конца жизни плохо владел ею. Но в 1669 году, будучи в должности командующего французскими силами, генерал был направлен на помощь венецианцам в обороне Крита от турок.

Последней из военных кампаний графа Фронтенака в Европе была осада крепости Маастрихт, где рядом с ним сражался и геройски погиб летом 1672 года бригадный генерал Шарль д'Артаньян. В отличие от героя Дюма, реальный д'Артаньян так и не стал маршалом Франции. А его собрат по оружию Луи де Фронтенак в тот год получил назначение в Квебек на пост губернатора королевской провинции Новая Франция.

Под руководством нового губернатора развернулось строительство фортификаций—город на реке Сен-Лоран превращался в хорошо укреплённую крепость. Другое же начинание

Статуя Фронтенака на здании парламента в Квебеке

Фронтенака не нашло поддержки при дворе. Губернатор решил созвать канадские Генеральные штаты из дворянства, духовенства и третьего сословия. Недремлющее око Кольбера, всесильного министра Людовика XIV, усмотрело в созыве штатов новую фронду. Последовал строгий выговор королевского министра: «Вы должны очень редко (точнее говоря — никогда) прибегать к этой форме представительства жителей Канады».

Квебеку повезло и с другим талантливым и преданным делу администратором — королевским интендантом Жаном Талоном, который приехал сюда в 1665 году. Интендант, выполняя волю Кольбера, вёл успешную политику меркантилизма, пытаясь сделать экономику колонии не дотационной, а самостоятельной. Талон поощрял сельское хозяйство и рёмесла, рыбный промысел и геологические изыскания. При нём в колонию завезли лошадей, которых местные индейцы, увидев впервые, прозвали «французскими лосями». Талон заложил первую канадскую верфь, построил железоделательные мануфактуры, организовал выращивание хмеля и солода, тем самым положив начало первому в истории страны производству пива. Когда интендант уходил в отставку, он мог похвалиться тем, что жители страны способны одеваться с ног до головы в продукцию, произведённую в Канаде.

Главной заботой как Талона, так и губернатора Фронтенака стало увеличение населения Новой Франции. Решение этой стратегической задачи осуществлялось различными путями. За океан отправляли бывших арестантов, солдат, кабальных слуг и «дочерей короля» (*filles du roi*). Последние, числом более тысячи, были незамужними женщинами, воспитанницами сиротских приютов или одинокими крестьянками, которые соглашались сочетаться браком в Канаде (вспомним лозунг большевиков: «Девушки, на Дальний Восток!»). Указ строго ограничивал время ухаживания двумя неделями. Тех, на кого не положили глаз в Квебеке, отправляли дальше по реке, в Монреаль. За «невест короля» давали отличное приданое. Как писал Александр Дюма, «каждая по прибытии находила супруга, и через две недели после приезда ни одна не осталась незамужней. Каждая приносила в приданое быка и корову, борова и свинью, петуха и курицу, два бочонка солонины, несколько ружей и одиннадцать экю».

Увеличение рождаемости возвели в ранг государственно значимого деяния. Установили штрафные санкции для одиноких канадских мужчин (которым запрещалось охотиться и ловить рыбу до тех пор, пока они не женятся) и поощрительные вспомоществования для молодожёнов. Хозяйства, где было десять и более детей, получали пособие от короля. В результате население Новой Франции за семь лет удвоилось. А интендант Жан Талон, почувствовав, что здоровье в суровом местном климате слабеет, попросился на родину, получил за труды графский титул и должность личного королевского секретаря. Выйдя в отставку в 1692 году, он доживал свой век в одиночестве: поборник активного деторождения оказался закоренелым холостяком.

Дела матримониальные складывались не самым лучшим образом и у других героев французского королевства. Д'Артаньян и Фронтенак, как и многие дворяне их круга, постоянно испытывали нехватку средств: расходы на дружеские кутежи, расшитые камзолы и плюмажи на шляпах намного превышали их жалование. Оба пошли к алтарю в зрелом возрасте, невесты обладали солидным приданым. Мессир д'Артаньян взял в жёны баронессу Аншарлотт де Шанлеси де Сен-Круа — вдову капитана, убитого при осаде Арраса. Брачное соглашение было засвидетельствовано покровителем мушкетёра кардиналом Мазарини. Граф де Фронтенак сочетался браком с Анной де ла Гранж-Трианон, которая пользовалась успехом при дворе.

Семейная жизнь стала явным провалом в биографиях двух блестящих французов. У богатых и знатных дам оказался не самый лучший характер. Мужья творили историю, жёны занимались интригами. Мадам д'Артаньян уехала от мужа в родовое имение, где была отмечена сутяжничеством с многочисленными родственниками. Графиня де Фронтенак предпочла заснеженной Канаде золочёные покои Версаля.

У обоих офицеров не заладились отношения и с всесильным Жаном-Батистом Кольбером, «недремлющим оком Людовика

Великого». Александр Дюма дал портрет королевского фаворита: «Взгляд у него был строгий, даже суровый. С подчинёнными он был горд, перед вельможами держался с достоинством человека добродетельного. Весьма надменный, даже тогда, когда будучи один, смотрел на себя в зеркало». Когда-то Кольбер желал получить в придачу к многочисленным привилегиям выгодную придворную должность «хранителя королевского птичника», которая в итоге досталась д'Артаньяну. Младший брат Кольбера одно время руководил королевскими мушкетёрами, то есть был непосредственным начальником гасконца. Губернатор Новой Франции Луи де Фронтенак, отличавшийся независимым характером, вызывал постоянное неудовольствие королевского министра, что в итоге привело к отзыву строптивого губернатора в 1682 году, за год до смерти Кольбера.

Ситуация в Канаде после отъезда Фронтенака немедленно ухудшилась. Начались внутренние раздоры и соперничество среди квебекской верхушки, а индейцы-ирокезы, подстрекаемые англичанами, в 1689 году подняли восстание и устроили резню французов в селении Лашин, близ Монреаля. Граф Фронтенак был снова отправлен в Америку и подоспел как раз вовремя. В 1690 году сильный британский флот и ополчение из Новой Англии под командованием сэра Уильяма Фипса подошли к стенам Квебека. Фипс надёжно осадил город и в своей победе не сомневался. Его парламентёр прибыл в резиденцию Фронтенака с ультиматумом о капитуляции в течение часа. Надменный англичанин положил на стол часы, сказав, что время пошло. На что Фронтенак дал ответ, который вошёл в историю: «Уберите часы, эмиссар. Идите к своему генералу и скажите, что за меня ответят жерла пушек и дула ружей» («*Je n'ai point de réponse à faire a votre général que par la bouche de mes canons et à coups de fuzil!*»).

Нападение Фипса было успешно отражено, изрядно потрёпанный флот Альбиона ретировался. В ответ французы под предводительством Фронтенака изгнали британцев из района Гудзонова залива и разрушили их форты вплоть до территории нынешнего штата Мэн. Заодно были уничтожены и селения союзников англичан ирокезов.

Значительная часть сохранившейся каменной городской застройки, определившей облик старого Квебека, относится к последней четверти XVII столетия, времени правления Луи де Фронтенака. Главная причина развернувшегося масштабного градостроительства—упрочившаяся безопасность столицы Новой Франции. Окружённый каменными и земляными бастионами с многочисленными пушками, город на скале получил прозвище «Гибралтара Америки». Мощнейшая крепость, равной которой не было тогда ни в английских, ни в голландских колониях Северной Америки, обезопасила всю обширную долину реки Св. Лаврентия от ударов с моря.

В 1685 году в Квебек прибыл военный хирург Мишель Сарразен, который стал первым значительным учёным Новой Франции. Помимо исполнения своих прямых врачебных обязанностей, Сарразен приобрёл известность как пытливый натуралист. Королевский ботанический сад в Париже неоднократно пополнялся находками Сарразена, а сам он стал членом-корреспондентом Французской академии наук. Одно из открытых квебекцем растений носит его имя: саррацения пурпурная. Врач и натуралист стал пионером национальной канадской индустрии—производства кленового сиропа; во многом благодаря его начинаниям на флаге сегодняшней Канады красуется кленовый лист.

В Квебеке (сами жители называют его Вилль-де-Кебек) попасть из Верхнего города (*Haute-Ville*) в Нижний (*Basse-Ville*) можно по крутой улочке с высокой лестницей с характерным названием «Сломай шею» («*Escalier Casse-Cou*»). Для подъёма на неприступную скалу в XIX веке придумали фуникулёр, нижняя станция которого располагается в историческом доме, поначалу принадлежавшем охотнику, мехоторговцу и исследователю Луи Жолье.

Уроженец Квебека, Жолье, с благословения Фронтенака, возглавил экспедицию в неизведанные дебри Северной Америки. В 1673 году Жолье вместе с иезуитским проповедником Жаком Маркеттом первыми из европейцев достигли истоков «великой реки», которой было присвоено индейское имя

Застройка XVII столетия в Нижнем городе

Миссисипи. Жак Маркетт оставил об этом многомесячном опасном предприятии подробные записи. Путешественники проплыли вниз по Миссисипи до места впадения в неё реки

Арканзас, установив, что крупнейшая водная артерия континента течёт на юг, к Мексиканскому заливу.

Граф Фронтенак поощрял дальнейшие географические исследования. При его финансовой поддержке руанец Рене-Робер Кавелье де Ла Саль (*La Salle*) с небольшой экспедицией доплыл до устья Миссисипи, объявив всю долину главной реки Америки владением французской короны. 9 апреля 1682 года Ла Саль торжественно нарёк новые земли Луизианой («землёй Луи»), в честь Людовика XIV.

К концу столетия осенённые королевскими лилиями земли Новой Франции простирались от «хладных скал» Ньюфаундленда на севере до джунглей Мексиканского залива на юге и от побережья Атлантики на востоке до великих прерий на западе. Французские первопроходцы и миссионеры основали целый ряд поселений. На картах Нового Света появились Де-Труа (позже ставший Детройтом), Сен-Луи (превратившийся в Сент-Луис), форт Дюкен (нынешний Питтсбург), Нувель Орлеанс (Новый Орлеан). Подобно тому, как многие старые города Европы возникли на месте стоянки римских гарнизонов, североамериканские города-мегаполисы Чикаго и Торонто выросли на месте французских торговых факторий.

Супруга губернатора Новой Франции Анна де ла Гранж ни разу не побывала в Квебеке. Её интересы ограничивались придворной жизнью. Мадам служила герцогине де Монпансье, внучке короля Генриха IV и двоюродной сестре «короля-солнца». Дюма уделил несколько строк графине Фронтенак в книге «Людовик XIV и его век»: «Уже отроком Луи XIV обратил особое внимание на трёх женщин. Первой была г-жа де Фронтенак, адъютантша принцессы де Монпансье, совершившая с ней орлеанскую и парижскую кампании». Далее Дюма, говоря о юношеской привязанности короля, ссылается на исторические записки самой де Монпансье: «Однажды я ехала на лошади возле короля, а г-жа Фронтенак рядом со мной. Казалось, король находил большое удовольствие быть вместе с нами, королева даже заметила, что он влюблён в г-жу Фронтенак, и распорядилась прекратить эти прогулки, весьма тем огорчив Луи XIV».

Король и в дальнейшем благоволил к мадам Фронтенак, наградив её титулом «Божественная» (*La Divine*). Считается, что Мольер списывал с двух Анн, подружек Фронтенак и Монпансье, своих персонажей для комедии «Смешные жеманницы». Патронесса жены канадского губернатора вошла в историю любимыми ею разноцветными душистыми леденцами монпансье. И ещё герцогиня была крёстной матерью младшего сына д'Артаньяна Шарля.

Политическая история Квебека — города и королевской провинции — постепенно сложилась в авантюрное повествование, в котором переплелись интересы Версаля, бретонских и нормандских негоциантов, парижские интриги и героические канадские будни. Два звонких дворянских имени — Фронтенак и д'Артаньян — стали, по сути, яркими символами XVII столетия, времени наивысшего взлёта Франции, империи, оставившей свой след на разных материках, в камне и книгах.

Дюма подарил д'Артаньяну вторую, не менее колоритную, жизнь. Канадские деяния Луи де Буада де Фронтенака со временем стали легендой. Даже войны этого периода получили его имя. Губернатор Новой Франции умер в ноябре 1698 года и нашёл последнее пристанище в квебекском кафедральном соборе Нотр-Дам. По старинному обычаю, сердце Фронтенака в свинцовом контейнере доставили вдове в Париж. Но графиня холодно встретила посылку: «Мне не нужно мёртвого сердца, которое не принадлежало мне, пока билось».

Поля Авраама

В 1711 году Великобритания вновь попыталась овладеть крепким французским орешком. Провидение в тот год оказалось не на стороне Альбиона: мощный английский флот разбился в дождь и туман на порогах реки Св. Лаврентия. Вознося хвалу небесным силам, квебекцы переименовали свою старейшую церковь на Королевской площади в Нижнем городе в Нотр-Дам-де-Виктуар (Церковь Богоматери Победоносной). Из глубоких подвалов купцов и маркитантов на Пляс Руаяль выкатывались бочки с вином и лучшей снедью. Галльский дух праздновал новую викторию.

Бесконечные стычки и войны англичан с французами, нравы индейцев, колонистов и пионеров-землепроходцев нашли отражение в серии романов Джеймса Фенимора Купера, ставших, задолго до Дюма, классикой мировой приключенческой литературы. И всё же растянувшееся на полтора столетия соперничество Лондона и Парижа в Северной Америке подошло к развязке. В годы правления Людовика XV Франция начала утрачивать свои позиции в Новом Свете. Распутный монарх мало интересовался канадскими делами. Расходы на содержание двора значительно превосходили колониальные субсидии, а решения кабинета министров зачастую определялись фавориткой короля маркизой де Помпадур.

Ахиллесовой пятой Новой Франции, которую увидел ещё кардинал Ришелье, оставалась малочисленность её населения. На канадских просторах в 1760 году проживало около 60 тысяч французов. Население английских колоний в Северной Америке достигло полутора миллионов. Канада была ревностным католическим анклавом. Деятельные французские протестанты—гугеноты, не имевшие возможности эмигрировать в Канаду,—обретали вторую родину в американских колониях Великобритании.

Известен диалог двух французских исторических персонажей, состоявшийся в начале 1759 года, в разгар Семилетней войны. Молодой флотский офицер Луи Бугенвиль, будущий знаменитый мореплаватель, побывав в Квебеке, подготовил доклад морскому министру Никола Беррьеру. Последний, ставленник мадам Помпадур, так экономил на содержании французского флота, что отменил пенсии морякам-ветеранам и распорядился снять с довольствия всех котов на военных кораблях. Бугенвиль попытался объяснить министру трудное экономическое и военное положение Новой Франции перед лицом превосходящих сил противника. Беррьер пожал плечами:

—Когда дом охвачен пожаром, не следует беспокоиться о судьбе конюшен.

Не по годам дерзкий Бугенвиль нашёлся с ответом:

—По крайней мере, мсье, никто не скажет, что вы разговариваете с позиции лошади.

Американское противостояние сильнейших в мире империй, английской и французской, определялось соперничеством за главные водные артерии континента. Ключом к победе была долина реки Огайо—своего рода Суэцкий канал внутренних американских территорий. Долина обеспечивала коммуникации между востоком Канады, Новым Орлеаном и рекой Миссисипи.

Двадцатисемилетний лейтенант по имени Джордж Вашингтон в 1754 году провёл неудачный бой с французами у форта Дюкен (нынешний Питтсбург). Командующий французским отрядом Кулон де Вилье взял Вашингтона в плен, но отпустил будущего первого президента США в обмен на обещание навсегда покинуть долину Огайо. Мелкий пограничный эпизод неожиданно привёл к разрастанию конфликта по обе стороны Атлантики. Как говорил Вольтер, «выстрелы в Америке отозвались огнём войны во всей Европе».

Многие историки, включая сэра Уинстона Черчилля, называли разразившуюся в Старом Свете Семилетнюю войну 1756–1763 годов «первой подлинной общемировой войной». В этот конфликт оказались втянуты все крупные государства, включая Россию, союзницу Франции, выяснявшую собственные территориальные споры с соседями.

Британцы в Америке теснили французов по всем направлениям: был взят форт Фронтенак на озере Онтарио, пала крепость Луисбург на полуострове Новая Шотландия. Индейские племена, умасливаемые подачками англичан, переходили на сторону Альбиона. Спасать французов в Квебеке отправили нового командующего—Луи-Жозефа маркиза де Монкальма-Гозона, ветерана, служившего на передовых рубежах с конца 1720-х годов в Италии и Германии. Вместе с Монкальмом на борту брига «Ликон» находился бывший мушкетёр и его надёжный друг Луи Бугенвиль.

Версаль, направив генерала Монкальма в Канаду, дал ему всего триста солдат: считалось, что судьба Новой Франции решится на полях сражений в Европе. Мало того что французы испытывали дефицит боеприпасов и продовольствия — у них не было опытных военных специалистов, особенно не хватало офицеров артиллерии. У Монкальма служили всего два военных инженера — и ни одного сапёра. Именно по этому поводу состоялся упомянутый выше спор Бугенвиля с военным министром Франции.

Острова Вест-Индии, по мнению Версаля, были основной целью, за которую стоило ожесточённо сражаться. «Сахарные острова» приносили гигантские доходы обеим колониальным империям. Одну пятую всего английского импорта в 1775 году составлял сахар, и стоил он в пять раз дороже ввозимого в Британию табака. Белый и коричневый сахар, а также чёрная патока (меласса) с французских Карибских островов приносили ещё большие прибыли. Совсем иное мнение бытовало в отношении Канады: «Несколько тысяч арпанов снега», — иронизировал по поводу Новой Франции Вольтер.

Из-за растянутости коммуникаций и недостатка сил маркиз де Монкальм мог рассчитывать только на затяжную оборонительную войну. Он был не в силах собрать в кулак все французские соединения. Часть войск несла службу на стратегически важном озере Шамплен и форте Ниагара, другая охраняла подступы к Монреалю. Отчаянные депеши маркиза оседали в недрах военного министерства. Между тем британский генерал-майор Джеймс Вульф вторгся в Канаду. Численное превосходство англичан составляло пять к одному, а эскадра Великобритании, отрезавшая Квебек с моря, составляла двадцать с лишним кораблей.

Когда-то Людовик XIV произнёс фразу: «Бог всегда на стороне больших батальонов». Луи де Монкальму не сопутствовала удача Фронтенака. Преисполненный решимости генерал Вульф готовился сокрушить «этих чёртовых псов канадцев». В июне 1759 года «красные мундиры» предприняли первый штурм

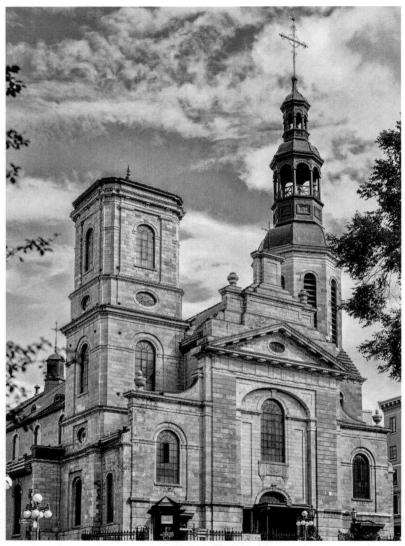

Кафедральный собор Нотр-Дам

Квебека. Маркиз поставил под ружьё все мужское население города — от седобородых купцов до юношей-семинаристов — и сумел отбить первый штурм.

Интерьер собора

Непреклонный Вульф, занявший противоположный берег Св. Лаврентия, приказал начать обстрел города. Триста зажигательных ядер мортир ежедневно в течение всего лета обрушивались на Верхний Квебек, который превратился в город-призрак. Терроризированное население покинуло свои дома и бежало к дальнему крепостному валу или в поля за пределы города. Как говорили английские артиллеристы, «мы превратили Квебек в преисподнюю». Тем не менее Монкальм успешно отразил второй британский штурм.

Джеймс Вульф приступил к тактике выжженной земли. Он твёрдо рассчитывал, что господство террора заставит французов выбраться со своих укреплённых позиций для защиты родственников и близких. Словно хищный зверь, Вульф кружил вокруг французской цитадели. В течение всего августа небо над рекой Св. Лаврентия было тёмным, будто разгорелся огромный пожар в лесу: дым от горящих французских селений застилал небо.

По вечерам генерал Вульф любил декламировать элегии Томаса Грея — томик стихов ему подарила невеста перед отплытием в Канаду. Среди офицеров, слушателей командующего, был флотский капитан Джеймс Кук, будущий всемирно известный английский мореплаватель, который разгадал тайны фарватера реки Святого Лаврентия.

Вульф продолжал искать брешь в укреплениях «канадского Гибралтара». Монкальм и прикрывавший его со стороны реки Бугенвиль успешно держали оборону. Британцы несли большие потери, и Вульф даже начал задумываться о снятии осады до наступления ранней канадской зимы. Но, как это часто бывает, нашёлся предатель, указавший «проход к Фермопилам».

Сначала англичанам удалось обманным манёвром отвлечь морские силы Бугенвиля от стен Квебека. Затем, в глухую ночь с 12 на 13 сентября 1759 года, британцы, пользуясь картами Кука, смогли тайно высадиться в отдалённой бухте, где среди крутых холмов проходила тропинка, пригодная для транспортировки пушек. С самого верха скалы их окликнул французский часовой. Находчивый офицер из шотландского полка, владевший французским языком, ответил, что это направленное Бугенвилем пополнение. Затем британские гренадеры без труда перерезали посты полусонных французских ополченцев.

Когда рассеялся утренний туман, командующий Монкальм увидел в подзорную трубу развёртывавшиеся к западу от Квебека британские батальоны. Они находились на равнине Авраама, на расстоянии одной мили от городской стены, наиболее уязвимой с точки зрения обороны города. Вслед за гренадерами в красных мундирах матросы вручную втаскивали на покрытые росой луга корабельную артиллерию.

Британский историк Фрэнк Маклинн в книге «1759» анализировал сложившуюся ситуацию: «Так как время ещё было на стороне Монкальма, он любой ценой должен был дождаться подкреплений Бугенвиля. Нетерпеливое ожидание этого офицера можно сравнить с тем нетерпением Наполеона, с которым император ждал маршала Груши при Ватерлоо, что случилось через пятьдесят шесть лет после этих событий».

Монкальм посчитал, что сможет упредить атаку англичан. Не дождавшись Бугенвиля, он вывел на равнину Авраама лучшие силы—в одном ряду с гасконцами и беарнцами стояло квебекское ополчение. Французы бросились в отчаянную атаку, которая была встречена шквалом картечи и палашами вымуштрованной английской пехоты. Утратив дисциплину на поле боя, канадцы начали отступать к стенам города. В эту минуту смертельное ранение получил Луи де Монкальм.

Сражение было проиграно. Помимо маркиза, на полях Авраама погибли два его бригадных генерала—Фонтбонн и Менесергю. В этот же день под стенами Квебека нашёл свою смерть и английский командующий Джеймс Вульф. Британский премьер-министр Уильям Питт, выступая в Палате общин, блистал риторикой: «Поиски параллели в истории Греции и Рима меркнут перед величием момента... Этот ужас ночи, отвесная скала, покорённая Вульфом. Империя, добавленная им к Англии, страшная катастрофа конца жизни, которая стала началом его славы».

Бои за Канаду завершились 17 сентября 1760 года, через год и три дня после смерти Монкальма, когда французы сдали Монреаль. Парижский договор в 1763 году завершил Семилетнюю войну и констатировал очевидное: английский «Юнион Джек» развевался почти во всей восточной части Америки. Чтобы подсластить пилюлю, Людовик XV приказал устроить в Париже народные гуляния по случаю мира. На пустыре неподалёку от Елисейских полей, где раньше было место для дуэлей (ныне Площадь Согласия), воздвигли конный памятник «Возлюбленному королю» с четырьмя женскими фигурами — аллегориями Мудрости, Силы, Справедливости и Мира. Народ, веселившийся под бесплатную выпивку, ёрничал, что скульптурные дамы короля — три сестрички-фаворитки де Майи и сменившая их мадам Помпадур.

Пушки на время смолкли. Идеологическая война разгоралась в искусстве. Президент Британской академии художеств Бенджамин Уэст создал грандиозное батальное полотно «Смерть генерала Вульфа»: на фоне долины Авраама истекающий кровью триумфатор Вульф отдаёт последние приказы верным офицерам. Не менее масштабным и драматическим ответом Уэсту стало полотно Франсуа Ватто «Гибель Монкальма». На волне мифотворчества возникла легенда о предсмертных словах маркиза: «Я нахожу себе утешение в том, что моим поражением и своим завоеванием Англия вырыла себе могилу».

Терраса Дафферин

Более ста лет назад писатель Джеймс Оливер Кервуд посвятил канадской истории волнующие строки: «Неторопливое путешествие по выжженной земле невозвратного прошлого: чтение писем, написанных рукой тех, кто более ста пятидесяти лет назад сошёл в могилу; грёзы наяву над пожелтевшими манускриптами, начертанными священниками и мучениками; встречи со святыми сёстрами монастыря урсулинок и благочестивыми монахами Квебека, ревностно берегущими сокровища пионеров Нового Света — своих единоверцев, и, наконец, снятие покрова, скрывающего любовь, ненависть, трагедии и счастье почти забытого периода нашей истории, отмеченного рождением американской и канадской нации, а также событиями, потрясшими два великих народа и сделавшими их тем, чем они являются в наши дни».

Предсмертные прорицания маркиза де Монкальма, если они были произнесены, отчасти сбылись. Спустя всего шестнадцать лет после падения Новой Франции восставшие американские колонии объявили о своей независимости и нанесли поражение Великобритании. Но «Страна кленового листа» осталась под властью британской короны. Американцы попытались осадить Квебек в конце 1775 года и были наголову разгромлены в новогоднюю ночь.

В сегодняшнем мирном туристическом Квебеке на равнине Авраама ежегодно в сентябре разыгрывается костюмированное «сражение», повторяющее ход решающей англофранцузской битвы за Канаду. В Верхнем городе в 1827 году воздвигли обелиск обоим погибшим командующим. Надпись на нём, нарочно написанная не по-английски и не по-французски, а только на латыни, гласит: «Доблесть принесла им общую смерть, история — общую славу, потомки — общий памятник».

Редьярд Киплинг, побывав в Канаде, сказал: «Изо всех уголков мира, где волны людских переселений оставили наиболее отчётливые следы, ни одно не говорит сердцу столь много и столь не притягивает взор, как Квебек. Здесь повстречались все: Франция, эта завистливая товарка Англии, восемьсот лет тягавшаяся с её славой на суше и на море; Англия, которая, по своему обыкновению, сама была озадачена удачным стечением обстоятельств... сам Монкальм, обречённый и решительный; Вульф — неизбежный мастеровитый ремесленник, которого отрядили, чтобы нанести последний штрих, а где-то на заднем плане некто Джеймс Кук, капитан корабля Его Величества «Меркурий», составивший превосходные карты реки Св. Лаврентия».

Двух участников битвы за Квебек, Бугенвиля и Кука, история одарила не менее яркими биографиями. Оба совершили великие кругосветные плавания, открыли новые земли и добавили славы своим империям. Английское завоевание Канады оказало опосредованное влияние и на самую мирную область человеческой культуры. Великолепие североамериканской природы в её возвышенной красоте, с первозданными лесами, бескрайними озёрами, горами, долинами, водопадами нашло своё отражение в благоустройстве английских садов и парков. Отходила в прошлое эпоха абсолютизма, и на смену французским регулярным садам по всей Европе, от Мадрида до пригородов Санкт-Петербурга, пришли пейзажные английские парки.

В 1791 году город Квебек стал столицей Нижней Канады — новой провинции Британской империи, а с 1841 года — столицей провинции Квебек. В течение следующих двух десятилетий канадский парламент заседал поочерёдно в Торонто (столице англоязычной провинции Онтарио) и Квебеке. В 1864 году город стал местом проведения исторической Квебекской конференции, в ходе которой решался вопрос о самоопределении британских колоний в Северной Америке. Результатом стало образование в 1867 году нового федерального государства — Доминиона Канада.

Последние из французских завоеваний в Северной Америке — бескрайние просторы к западу от реки Миссисипи — были проданы Наполеоном в 1803 году правительству Соединённых Штатов. Покупка Луизианы увеличила владения США почти вдвое. На территориях, некогда открытых французскими землепроходцами, впоследствии расположились (полностью или частично) пятнадцать американских штатов. Согласно легенде, своё неожиданное историческое решение Наполеон принял, как это нередко с ним бывало, лёжа в горячей ванной.

Британцы, памятуя о бурной квебекской истории, продолжали укреплять «американский Гибралтар». В 1820-х годах на вершине скалы появилась мощная Цитадель, венчающая систему обороны города. Большинство французских укреплений Квебека сохранилось исключительно благодаря приказу Фредерика Гамильтона-Тэмпл-Блэквуда, лорда Дафферина, генерал-губернатора Канады с 1872 по 1878 годы. Он запретил разбирать старые крепостные стены и здания для постройки новых. Более того, лорд Дафферин распорядился начать в Квебеке обширные реставрационные работы, а Цитадель сделал своей резиденцией. Горожане назвали в честь благородного лорда террасу, где любил прогуливаться генерал-губернатор.

Парижанин Пьер де Фреди, известный нам как основатель олимпийского движения барон де Кубертен, писал о террасе Дафферин: «Она настоящий шедевр—выложена паркетом, словно площадка для катания на роликах, и уставлена павильонами, где летом по вечерам играют оркестры. С этой высоты река Сен-Лоран кажется громадной; старый город простирается у ваших ног, а Цитадель нависает над вами... Наверное, было бы лучше, если бы мы не потеряли Новую Францию, если бы Наполеон не пожертвовал Луизианой... Но разве мы не должны радоваться, что столько французских имён увековечено на дальних берегах, что хроники всех народов полны рассказами о героических деяниях французов, что слава Франции гремит по всему миру?»

Квебек остался единственным городом в Северной Америке, обнесённым крепостными стенами. Его историческая часть с каменной «нормандской» застройкой XVII—XVIII столетий, была в 1985 году включена в список всемирного наследия ЮНЕСКО. Грозная английская Цитадель и по сей день является одной из официальных резиденций генерал-губернатора Канады, по традиции проводящего в ней несколько недель в году. Туристов сюда больше влечёт красочный развод караула королевских войск.

Первоначальная попытка захватившей страну Великобритании «затопить» Французскую Канаду превосходящей численностью британского населения и ассимилировать их не имела успеха. Как писал Артур Хейли, «Квебек был тем ещё камешком—зазубренным и несдвигаемым,—на котором спотыкалось не одно правительство». Отторгнутым от матери-родины франкофонам удалось удержать свои позиции особого народа с собственной этнической территорией, родным языком, католическим вероисповеданием и исключительно сильным национальным самосознанием.

«Старая Франция здесь, в Канаде...»—писал Алексис де Токвиль. Лингвисты относят французский язык провинции Квебек к старинному северофранцузскому диалекту с большим количеством архаизмов. Здесь всё ещё можно услышать обороты, звучавшие во времена Рабле. Исчезнувший на родине дух королевской Франции, лояльного благородства и прочувствованного католичества, обитает под островерхими крышами Квебека. Здесь, как нигде в Северной Америке, возникает ощущение остановившегося времени, а чтобы вкусить уникальную атмосферу провинциальной Франции, ещё не растерзанной её собственной Великой Революцией, можно всего лишь неторопливо пройтись вдоль узких извилистых улочек.

Пьер де Кубертен писал: «В прежние времена главные достоинства франкоканадцев — здравомыслие и упорство — помогли им выстоять против захватчиков, и когда сравниваешь их теперешнюю численность с тем, сколько их было в момент передачи Канады англичанам, когда вспоминаешь, как с ними обращались, какие жестокости им пришлось вынести, какие несправедливости над ними чинили, то не можешь не восхищаться результатами их многолетней борьбы за выживание, удивляться их сметливости, терпению и настойчивости».

На террасе Дафферин в Верхнем городе бронзовый Самюэль де Шамплен смотрит с беломраморного постамента на огромный романтический отель-замок «Фронтенак» — в старом Квебеке эпохи сплетаются на расстоянии вытянутой руки. С этой же террасы открывается удивительный вид на просторы реки Святого Лаврентия, а за ними — в серо-голубой дымке — линии гор, уходящие в бесконечность.

Флаг современной канадской провинции Квебек — лазурное полотнище с белым крестом и четырьмя геральдическими бурбонскими лилиями (*fleur-de-lis*) — старый флаг французского королевства, принесённый сюда на корабле Шамплена. Девиз Французской Канады, который красуется не только на её гербе, но и на номерном знаке каждого квебекского автомобиля — «*Je me souviens*» («Я помню») — ностальгическая нота о прекрасных временах героического и галантного века.

КОНТИНЕНТ НА ПРОДАЖУ

Америка уже казалась мне раем.

А. Ф. Прево

Арканзасский мираж

Некоторые из городов американского Юга обязаны своим возникновением странному человеку, никогда не бывавшему в Западном полушарии. Вряд ли его имя увековечат в бронзе или назовут им улицы в Луизиане или Арканзасе. Скажем так: в США предпочли забыть недобрую славу «крёстного отца» Нового Орлеана и других городов в долине Миссисипи.

История начиналась вечером 9 апреля 1694 года, когда в Лондоне скрестили шпаги придворный вельможа Эдвард Уилсон и сын ювелира Джон Ло (*John Law*), приехавший из Эдинбурга в поисках удачи. Причиной дуэли стало соперничество джентльменов за благосклонность одной из королевских фрейлин. Джон Ло убил своего противника, был арестован и приговорён к смертной казни. Шотландец сумел спастись, спрыгнув в воду из тюремной башни, повредил ногу, но скрылся от погони. Перебравшись на материк, Джон Ло вновь ринулся на поиски фортуны. Он зарабатывал на жизнь в игорных домах Амстердама, Брюсселя, Женевы, но при этом написал две занимательные книги о финансах и торговле. В конце концов Ло оказался в Париже. В этом городе он сыграл свою самую великую игру.

Франция в ту пору пребывала в плачевном состоянии. В наследство от умершего Людовика XIV остались сотни грандиозных дворцов, воспоминания о роскошных балах и полностью разрушенное хозяйство. Личный долг покойного монарха превышал 2 миллиарда ливров, национальная валюта обесценилась: содержание серебра в ливре за время правления «короля-солнца» уменьшилось в шесть раз. Несколько раз ради пополнения казны приходилось отправлять в переплавку золотую и серебряную утварь из Версаля. Но звонкой монеты в стране катастрофически не хватало, так что во многих провинциях вернулись к натуральному обмену.

Корону унаследовал пятилетний Людовик XV, а регентом королевства стал дядя малыша герцог Филипп Орлеанский — человек крайне расточительный, легкомысленный и распутный. Именно в то время одна из фавориток регента привела во дворец обаятельного шотландского «специалиста по финансам». Джон Ло поведал герцогу Орлеанскому, что существует реальная возможность делать золото из бумаги: печатать на ней денежные знаки. Красноречивый эдинбуржец доказывал, что эмиссия бумажных денег может легко восполнить дефицит металлической монеты, а дешёвый кредит, сам по себе обеспечивая циркуляцию денег и товаров, приведёт страну к благоденствию. Ло даже сравнивал учреждение банков и развитие кредита с открытием Америки. Такая аналогия не могла не убедить регента, и в мае 1716 года был издан королевский указ об учреждении первого французского акционерного банка. Директором его стал Жан Ла — так на французский лад звучало имя нового финансиста королевства.

«Банк Женераль», детище Джона Ло, ожидал необычайный успех. Шотландец открыл широкий кредит частным предпринимателям и приобрёл общественное доверие, выдав акционерам за первое полугодие семипроцентные дивиденды. Однако этот азартный игрок не был бы самим собой, если бы ограничился ролью банкира. В его беспокойном мозгу зародился новый проект, суливший неизмеримо большие доходы. В 1717 году под патронатом Джона Ло была организована «Западная компания» с основным капиталом в 100 миллионов ли-

Джон Ло

вров. Цель провозгласили заманчивую: освоение бассейна величайшей реки Северной Америки.

Многие желали выгодно поместить свои капиталы — акции «Компании Миссисипи», как её стали называть, подорожали уже при подписке. Учреждение Ло поглотило несколько влачивших жалкое существование французских колониальных компаний и стало всемогущей монополией с правами генерального откупщика.

Карл Маркс в своё время относил Джона Ло к основоположникам кредитно-финансовой системы, но саркастически отметил его «приятный характер помеси мошенника и пророка». Джон Ло предвосхитил будущее тем, что начал сочетать реальное дело с искусной рекламой: в Париже печатались истории о сказочно богатом американском крае, где полудикие наивные аборигены с восторгом встречают французов и несут золото, жемчуг и драгоценные камни в обмен на безделушки. В устах Ло и под пером его помощников несколько десятков старых судов компании превратились в огромные флоты, готовые доставить для Франции пряности и табак, серебро и шёлк.

Акции Ло росли как на дрожжах: биржа на улице Кенконпуа, принадлежавшая «Компании Миссисипи», превратилась в мощный магнит, который притягивал французов, желавших быстро разбогатеть. В начале 1718 года бумаги номиналом в 500 ливров продавали вдесятеро дороже, но желающих приобрести их становилось всё больше. Попасть на приём к Джону Ло стало труднее, чем к регенту Франции. Графы и миледи безуспешно выстаивали многочасовые очереди в его приёмной. Секретарь президента компании стал любимцем дам высшего круга и в считанные дни нажил целое состояние на взятках, которые он брал за визит к монсеньору Ла.

Всемогущий финансист с большой энергией и размахом вёл и расширял дела компании. Ло начал колонизацию низовий Миссисипи, где весной 1718 года заложили «город компании», назвав его Новым Орлеаном (*La Nouvelle-Orléans*), в честь регента Филиппа Орлеанского. Американский проект вошёл в моду: богачи и вельможи домогались герцогств, маркизатов и баронств в Новом Свете и набирали колонистов для заселения и возделывания купленных ими земель. Пример вновь подал сам Джон Ло, получивший от регента титул герцога Арканзасского.

Держатели акций «Компании Миссисипи» жаждали не меньшего успеха, чем конкистадоры в Латинской Америке.

Поскольку желавших ехать за море было немного, правительство по просьбе компании начало ссылать в Новый Свет воров и бродяг из тюрем и исправительных домов. Но женщин в Луизиане катастрофически не хватало. «Белые мужчины,— жаловался в донесении губернатор Ж. де Бьенвиль,— гоняются по лесам за индианками».

Джону Ло и «Компании Миссисипи» оказался под стать современник-историограф: Антуан Франсуа Прево д'Экзиль, беглый монах, солдат удачи, иезуитский проповедник, ставший протестантом, сидевший в тюрьмах Парижа и Лондона. Сходство аббата с банкиром Ло подчёркивает дуэль со смертельным исходом, из-за которой Прево бежал за границу. Аббат-расстрига написал и перевёл множество громоздких скучных трактатов, но обрёл славу благодаря небольшой трогательной повести о любви. В одной партии из сосланных в 1719 году в Луизиану он нашёл своих Манон Леско и кавалера де Грие.

Легенда утверждает, что немало грешивший аббат Прево искренне полюбил девушку «из дурного общества», которую взамен тюремного заключения должны были отправить на берега Миссисипи. В Луизиане такие «невесты» доставались поселенцам по жребию. Будущий писатель решил следовать за своей Манон хоть на край света. Впоследствии кавалер де Грие по воле автора проделал весь этот путь и так передал свои чувства: «Но вообразите себе бедную мою возлюбленную, прикованную цепями вокруг пояса, сидящую на соломенной подстилке, в томлении прислонившись головою к стенке повозки, с лицом бледным и омоченным слезами». Случилось так, что по дороге к морю аббат подхватил лихорадку и слёг. Партия арестанток прибыла в Ла-Рошель, там их погрузили на корабль, и Прево навсегда расстался со своей любимой.

Тем временем «лихорадка Миссисипи» охватила не только Париж. Она проникла в провинции и даже за границу, откуда съезжались десятки тысяч ходоков, дабы купить на знаменитой улице Кенконпуа «золотые» бумажки. В результате спекулятивной горячки цена пятисотливровой акции составляла 25 тысяч ливров! В том броуновском движении бумаг за считанные часы составлялись целые состояния, а в течение нескольких недель — немыслимые капиталы. Тогда же росло и крепло тиражирование банковских билетов «от Джона Ло», которые принимались в уплату за американские акции. По-французски они стали называться купюрами.

Восхищённый герцог Орлеанский решил лично возглавить прибыльную финансовую структуру и в декабре 1718 года издал указ о преобразовании «Банка Женераль» в Королевский, то есть официальный банк французского правительства. Естественно, главным управляющим остался славный фаворит регента, получивший должность королевского контролёра финансов. Избрали Ло и действительным членом Французской академии наук. Родной город Эдинбург преподнёс ему почётное гражданство — в присланной грамоте говорилось, что он «достиг в мире такой знаменитости, которая делает честь не только городу, но всей шотландской нации».

Развивая идею, Джон Ло придумал торговлю опционами, то есть не самими акциями, а правом на покупку или продажу акций через определённое время. В Париже на улицах, рынках, площадях — на каждом углу только и делали, что приобретали и сбывали американские бумаги. Оргия обогащения соединяла все сословия, которые нигде больше, даже в церкви, не смешивались. Знатная дама толкалась рядом с куртизанкой, герцог торговался с подёнщиком, прелат мусолил пальцы, рассчитываясь с разбитной хозяйкой трактира. В расчётах за акции золото и серебро принимали неохотно. В разгар бума 10 акций равнялись по цене 14 или 15 центнерам серебра! Это походило на соревнование, кто быстрее избавится от презренного металла.

Современники описывали, как лакеи, приехавшие в банк в понедельник на запятках карет своих господ, в субботу возвращались, восседая в них и небрежно развалившись на бархатных подушках. Рассыльный, чистивший сапоги, выиграл на спекуляциях 40 миллионов ливров и пожелал купить придворную должность. Торговка Шомон, которую привела в Париж тяжба, заработала за несколько недель 200 миллионов и купила дворец канцлера Бошера. Именно тогда новоявленных

богатеев—биржевых спекулянтов—потомственные аристо-
краты стали презрительно именовать *миллионерами*.

Франция в одно мгновение из нищего и полуразрушенного
королевства превратилась в страну неограниченных возможностей. Париж купался в деньгах, Королевский банк инвестировал значительные суммы в торговлю и мануфактуры,
а в Версале возобновились грандиозные балы и приёмы. Пушкин в «Арапе Петра Великого» дал ироничную характеристику
эпохе Регентства: «…алчность к деньгам соединилась с жа-
ждою наслаждений и рассеянности; имения исчезали; нрав-
ственность гибла; французы смеялись и рассчитывали, и государство распадалось под игривые припевы сатирических
водевилей».

Справедливости ради надо отметить, что через сто с лишним лет на американском Западе действительно отыщут
несметные природные богатства. Но до этого времени как
Америке, так и Франции суждено будет пережить революции,
разрушительные войны и множественные перекройки границ. Поначалу же столица Луизианы выглядела весьма непри-
глядно, что нашло отражение в «Манон Леско»: «Мы двинулись… к Новому Орлеану; но, подойдя к нему, были поражены,
увидав вместо ожидаемого города, который нам так расхвали-
вали, жалкий посёлок из убогих хижин. Население составляло
человек пятьсот—шестьсот. Губернаторский дом выделялся
немного своей высотой и расположением. Он был защищён
земляными укреплениями, вокруг которых тянулся широкий
ров».

Учёные умы в Европе утверждали, что Новый Орлеан обре-
чён из-за дурного климата луизианских болот и неизбежных
наводнений на Миссисипи. Спустя три столетия ураган «Ка-
трина» (2005), снёсший городские плотины, отчасти подтвердил эти мрачные прогнозы. В ответ скептикам Ло выписал
шесть тысяч немецких крестьян с верховий Рейна и переселил
их за собственный счёт на берега американской реки. Здесь
возникли плантации, на которых стали выращивать индиго, табак и рис. А в Париже начали хватать всех, не имевших опреде-

Луизианские болота

лённых занятий. Известен случай, когда слуга, оказавшийся без места на четыре дня, был схвачен в качестве бродяги и сослан в Луизиану. Ремесленникам приходилось возобновлять свидетельства своим подмастерьям и ученикам каждые две недели, ибо взятого с просроченным свидетельством могли отправить за океан. Агентами Миссисипи стали пугать маленьких детей.

Биограф шотландца Джон Хорн писал: «Компания не скупилась и на интересные зрелища. Так, например, были привезены с берегов Миссури десять дикарей и одна дикарка. Первые показывали перед королём и двором свою ловкость на охоте в Булонском лесу; перед парижанами они исполняли национальные танцы в итальянском театре. Дама, которую они сопровождали, была королева из царственной семьи, именовавшейся «поколением солнца». Напали на мысль выдать её замуж во Франции, чтобы между дикарями основать французское вассальное государство. Королева была молода, обладала пикантной фигурой, и в женихах не было недостатка. Выбор её пал на статного гвардейского капрала Дюбуа. Крещение «дочери солнца» и её бракосочетание были отпразднованы с большим торжеством в соборе Нотр-Дам. Но едва Дюбуа I, король Миссури, успел прибыть в свои владения, как у его дикой супруги снова превозмогли природные инстинкты; Дюбуа был убит и, быть может, съеден при миссурийском дворе… Не был ли этот быстрый переход от трона к вертелу верным подобием судьбы Миссисипской игры, которая после полноты временного блеска должна была вскоре перейти к полноте беспредельного уныния?»

«Пузырь Миссисипи» лопнул в 1720 году. Всё увеличивающееся количество миллионеров стало настораживать наиболее дальновидных финансистов и вообще прозорливых людей, которые предпочли на всякий случай избавляться от акций и банкнот. В один из февральских дней к Королевскому банку подъехало несколько богатых экипажей, и вскоре на пороге появился сам герцог Бурбонский. Он выложил на конторку увесистую пачку акций и попросил обменять их по существующему на этот день курсу. В просьбе члену королевского дома отказать не смогли. Свои миллионы золотом и серебром герцог увозил в нескольких каретах. Держатели акций начали волноваться. Чтобы успокоить публику, правительство наняло сотни нищих, которые промаршировали по улицам Парижа с лопатами на плечах, якобы отправляясь в Луизиану на добычу золота. Через несколько дней нищих стали замечать на привычных местах.

Смятение в рядах акционеров быстро переросло в панику. Париж опять обезумел, но теперь все оказались объяты жаждой продать, и продать как можно скорее. Десятки человек были затоптаны насмерть во время столпотворения вкладчиков перед входом в Королевский банк. Остановить падение акций и банкнот Ло был не в состоянии, хотя в отчаянии решался на всё: обыски и конфискации у спекулянтов, запрещение платежей звонкой монетой, прекращение выпусков билетов и так далее. По ночам в окрестностях Парижа чиновники жгли огромные костры из конфискованных ассигнаций.

Даже в минуту, когда Джон Ло приблизился к окончательному краху, он всё же хранил затаённую мечту спасти любимое детище — «Компанию Миссисипи». По указу Ло за океан был отправлен королевский инженер Адриан де Поже для реализации первого плана развития столицы Луизианы. Он распланировал «Ля Нувель Орлеанс» как прямоугольник одиннадцать на семь кварталов — известный сегодня во всём мире Французский квартал. Эти улицы Нового Орлеана и по сей день носят имена французских святых и членов королевского дома. Впрочем, всё это мало помогло герцогу Арканзасскому.

К концу 1720 года ценные бумаги Ло превратились в макулатуру, уличные торговцы неохотно брали за пирожок сотни бумажных ливров. В Париже взлетели цены на все мало-мальски стоящие вещи, начались перебои с продовольствием. А с ноября купюры объявили вне закона. Десятки тысяч инвесторов компании и вкладчиков Королевского банка, ещё недавно считавших себя богачами, прогорели дотла. По Франции прокатилась волна самоубийств, а затем начались массовые беспорядки. Парламент потребовал вздёрнуть королевского контролёра финансов или, на худой конец, бросить его в Бастилию.

Не дожидаясь худшего, Ло сбежал в Венецию. Королевский банк закрылся, правительство Франции было вынуждено признать государственное банкротство. Всё имущество шотландца конфисковали в пользу погашения убытков. Обнищавшему Джону Ло пришлось вновь зарабатывать на жизнь картёжным промыслом.

В 1721 году венецианского изгнанника посетил таинственный незнакомец, представившийся савойским дворянином. Он предъявил верительные грамоты и от имени российского правительства официально пригласил Ло поступить на русскую службу. Приглашение и гарантии солидного денежного содержания исходили от самого Петра I.

С русским государем шотландец был знаком, они встречались в 1717 году, когда Пётр, будучи в Париже, посетил «Банк Женераль». Россия ещё не знала бумажных денег, и государь живо интересовался устройством и системой работы учреждения Ло. Посулы были более чем щедрыми: княжеский титул, двести дворов крепостных крестьян и право построить город на Каспийском море, населив его «иностранными мастеровыми и ремесленными людьми».

Бывший директор Королевского банка Франции не принял предложение Петра I. Беглый финансист надеялся, что его вновь позовут в Париж или Лондон. Через несколько лет коварная пневмония, столь частая в сырой Венеции, поставила точку в биографии герцога Арканзасского. Его громкий титул умер вместе с ним.

После краха Джона Ло у французов развилась стойкая неприязнь к топонимам Луизиана и Миссисипи, а опасное слово «банк» исчезло из французского лексикона — финансовые учреждения отныне именовались «кредитными обществами».

Формально французское владычество в далёкой Луизиане завершилось 3 ноября 1762 года, когда по секретному договору в Фонтенбло Людовик XV передал обширную, но убыточную колонию своему кузену испанскому королю Карлу III. Впрочем, следующие четыре десятилетия Новый Орлеан, основанный беспокойным духом мечтателя и прожектёра, продолжал переходить из рук в руки.

Восстание цвета бордо

Пятого марта 1766 года на берега Миссисипи прибыл первый испанский губернатор дон Антонио де Ульоа и де ла Торре-Хираль. Уроженец Севильи, кадровый морской офицер де Ульоа (*Ulloa*) отметился в истории Нового Света как выдающийся учёный и очень неудачливый администратор. Взлёт его научной карьеры был связан с Испанской Америкой, а политический закат — непосредственно с Новым Орлеаном.

Представитель старой андалузской аристократии, Антонио де Ульоа (1716–1795) окончил военно-морскую академию и за успехи в науках был включён в состав геодезической экспедиции Парижской академии наук под руководством Шарля де Кондамина. Предметом исследований международной экспедиции в Западном полушарии стал давний спор о форме Земли.

Молодой офицер полностью оправдал ожидания королевского Совета Индий. Собственными кропотливыми измерениями степени дуги меридиана на экваторе Антонио де Ульоа подтвердил гениальную догадку Ньютона, что Земля является сплющенным у полюсов сфероидом.

Разнообразные учёные изыскания де Ульоа в испанских колониях растянулись на одиннадцать лет. В частности, ему принадлежит заслуга первого научного описания неизвестного самородного белого металла, названного платиной. В 1746 году Ульоа подготовил многотомный «Отчёт о путешествии в Южную Америку» с приложением отдельного тома «Астрономические наблюдения». Был ещё пространный «Тайный отчёт об Америке», доступ к которому имели только королевские министры.

На должность губернатора Луизианы де Ульоа подходил мало. Он прибыл на небольшом торговом корабле с семью десятками солдат и обошёлся без пышных церемоний. Представитель новой власти неплохо изъяснялся по-французски, но был малообщительным, субтильного вида сухарём-учёным. На галльскую элиту Нового Орлеана, привыкшую к эпикурей-

Антонио де Ульоа

ству, «отшельничество» испанца произвело неблагоприятное впечатление. Кроме того, дон Антонио пренебрёг вниманием местных красавиц и женился на дочке перуанского креола из Лимы.

У нового правителя не было ни денег, ни батальонов для проведения в жизнь колониальной политики Испании. Его просьбы о военной и финансовой поддержке Мадрид оставлял без внимания. Сам Ульоа целиком доверился последнему французскому губернатору Шарлю-Филиппу Обри, который помогал ему в передаче власти в Новом Орлеане. Учёный, оставив бразды городского правления в руках опытного местного администратора, полагал, что тот легче найдёт общий язык с луизианской верхушкой. На деле оказалось, что либеральные манеры испанца вызвали сомнения в силе мадридской власти и породили надежды на возвращение прежних французских порядков.

Когда Антонио де Ульоа описал свойства платины, он вызвал «тектонические сдвиги» в мире науки. Со времён Аристотеля существовала незыблемая истина: в небе имеется семь светил—Солнце, Луна и пять планет (известных в то время), и каждая из них имеет на Земле своего представителя: Меркурий—ртуть, Венера—медь, Марс—железо, Юпитер—олово, Сатурн—свинец, Луна—серебро, Солнце—золото. И золото—самое тяжёлое из веществ, венец всех преобразований в природе. Открытие нового элемента (по описанию Ульоа, тяжелее золота) привело к смятению в умах.

Политическая верхушка Нового Орлеана, знавшая толк в шелках, винах и кружевах, не оценила таланты севильского математика, астронома и геодезиста. Пока европейский учёный мир спорил о фундаментальных вопросах мироздания, обозначенных Ульоа,—о форме планеты Земля, вносившей коррективы в картографию и навигацию, о новом химическом элементе, обрушившем старые представления о структуре мира,—в Новом Орлеане главным образом спорили о таможне и красном вине. Точнее, о новых правилах его ввоза.

При всём уважительном отношении к традициям «земель Луи» губернатор де Ульоа никак не мог согласовать испанскую систему меркантилизма с вольной торговлей на Миссисипи, которую поддерживали французские и местные американские негоцианты. Начавшийся досмотр транзитных грузов и новые «кастильские пошлины» вызывали сильное раздражение, ибо луизианская элита в той или иной степени получала дивиденды от расцветшей контрабандной торговли.

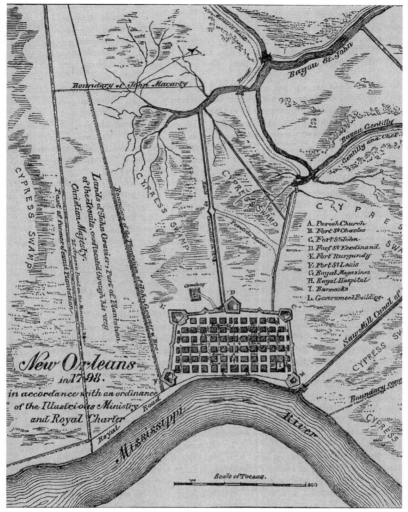

Карта Нового Орлеана с окрестностями

Город-полумесяц (или «круассан»), как называли Новый Орлеан за форму излучины Миссисипи, контролировал всю торговлю в бассейне великой реки и далее в Карибском регионе. Вверх по Миссисипи и её могучим притокам шли мануфактура, вина, сахар; вниз по реке сплавляли лес из Огайо, пшеницу из Кентукки, мясо из Теннесси, пушнину с индейских территорий. Американские купцы и предприниматели (пока ещё британские подданные) постепенно стали играть роль «третьего игрока» в европейском колониальном раздоре.

В Новом Орлеане несколько месяцев зрел заговор, в котором участвовала городская верхушка—французские дворяне, офицеры, плантаторы, некоторые из них были в родстве или свойстве. Французов поддержали немецкие поселенцы, завезённые сюда Джоном Ло. Агитацию среди немцев вёл Карл д'Аренсбург, отставной шведский офицер и плантатор, в своё время участвовавший в сражении с русскими под Полтавой.

Вождём конспираторов в Новом Орлеане стал сорокалетний Никола-Шовен де Лафренье, генеральный прокурор Луизианы. Он был признанным оратором и негласным лидером в колониальном Верховном совете (*Conseil Supérieur*). По поводу роли Шарля Обри в случившемся вскоре восстании существуют разные мнения. Одни считают его верным слугой двух монархов. По версии других историков, бывший французский губернатор сочувствовал заговорщикам в Верховном совете, но вёл себя осторожно.

Чтобы поднять на бунт городское население, был пущен слух, что «деспот» де Ульоа собирается запретить ввоз в Луизиану качественных бордоских вин. Для галльского патриота отказ от бордо означал не только покушение на великие традиции, но и утерю связей с исторической родиной.

28 октября 1768 года торговцы Нового Орлеана вышли на улицы. Выкрикнули лозунг: «*Vive le roi, vive le bon vin de Bordeaux*» («Да здравствует король, да здравствует доброе бордоское!»). Растущая толпа на центральной площади города *Place d'Armes* кричала, что «никогда не станет пить презренное кастильское».

Капитан Пьер Маркиз, начальник городского ополчения, привёл на улицы Нового Орлеана несколько сот вооружённых людей из близлежащих плантаций. Против них семьдесят пять испанских солдат Ульоа мало что могли сделать. Экс-губерна-

Монастырь урсулинок в Новом Орлеане

тор Шарль-Филипп Обри курсировал между мятежным Верховным советом и забаррикадировавшимся в своём доме Антонио де Ульоа.

На второй день испанский губернатор решил не проливать кровь и вместе с беременной женой под охраной Обри отправился на французский корабль в порту. Туда же вывели испанских солдат. Верховный совет под началом Лафренье выпустил манифест, в котором провозгласил возвращение к порядкам, существовавшим при Людовике XV, и потребовал, чтобы Ульоа покинул Луизиану в течение трёх дней. На главной площади Нового Орлеана Пляс д'Армс в очередной раз сменили флаги.

Когда свергнутый де Ульоа добрался до Гаваны, он увидел там испанские батальоны, которые неспешно готовились для отправки в Луизиану. Командовал войском бывший консул в Бордо Урисса, назначенный интендантом в Новый Орлеан. Он же собирался привести для администрации Ульоа значительную сумму в звонкой монете, но теперь решил везти деньги обратно на родину.

Ответ из Мадрида последовал через несколько месяцев. 18 августа 1769 года испанский королевский флот вошёл в устье Миссисипи. На его 24 кораблях находилось 2700 солдат и несколько десятков пушек. Командовал эскадрой опытный военачальник О'Рейли, назначенный вторым губернатором испанской Луизианы.

Александр (Алехандро) О'Рейли был уроженцем Дублина, выходцем из старинного военного рода (по-английски фамилия пишется *O'Reilly*, а по-ирландски—*O'Raghailligh*). Как и тысячи других ирландских наёмников («диких гусей»), он поступил на службу Его католическому Величеству королю Испании и отличился в нескольких баталиях в Европе. О'Рейли пользовался расположением короля Карла III, одно время даже был военным комендантом Мадрида.

Ступив на американскую землю, новый губернатор немедленно приказал Шарлю Обри провести церемонию поднятия ало-золотого испанского флага на Пляс д'Армс и торжественной передачи ему ключей от города на серебряном блюде. Вслед за этим он потребовал от поникшего Обри детального отчёта обо всех обстоятельствах «винного бунта». Считается, что бывший французский губернатор назвал О'Рейли имена главных участников заговора, чем заслужил прощение испанского правителя и презрение соплеменников.

Тринадцать представителей городской верхушки вскоре оказались под стражей. Согласно законам пиренейской монар-

Бурбон-стрит в Новом Орлеане

хии, суд был закрытым и длился недолго. 24 октября 1769 года всем тринадцати вынесли обвинение в государственной измене. В Новом Орлеане воздвигли виселицы, но палача разыскать не смогли. На следующий день Лафренье, Маркиз и трое других «октябристов» были расстреляны у стены казармы испанскими солдатами. Шестой приговорённый к смерти умер во время следствия.

Семеро других заговорщиков, закованных в кандалы, отправились в казематы форта Моро на Кубе. Несколько десятков сочувствовавших восставшим выслали из Луизианы, их имущество конфисковали. О'Рейли также отправил на родину Шарля Обри, но неудачливый французский губернатор погиб во время кораблекрушения близ берегов Бордо.

Ирландец объявил амнистию рядовым участникам мятежа при условии принятия присяги на верность испанской короне. Верховный совет был распущен и вместо него создан местный городской совет Кабильдо. Губернатор разделил провинцию на 12 административных округов и 22 церковных прихода. Луизиана утратила всякую автономию и подпала под юрисдикцию властей в Гаване.

Через шесть месяцев, устроив дела политические, второй губернатор испанской Луизианы отбыл из Нового Орлеана. За счёт солдат короля Карла III население города увеличилось более чем на треть. Тем не менее недостатка в антииспанских интригах и профранцузских заговорах не было и в последующие годы.

Не все из нововведений О'Рейли прошли проверку временем. Строгий правитель пытался улучшить городские нравы, закрыл многие злачные места и позволил содержать в Новом Орлеане всего двенадцать таверн и шесть биллиардных, где продавался алкоголь. В питейные заведения не допускались бродяги и женщины лёгкого поведения, строго запрещалось сквернословие и богохульство. Здесь явно прослеживается ирония истории: «город-круассан» и в последующие времена будет отмечен свободой нравов, фривольным карнавалом Марди Гра, а развесёлая Бурбон-стрит в центре Французского квартала станет всемирно известной родиной коктейля.

Бывшие луизианские губернаторы О'Рейли и Ульоа дослужились до генеральских чинов. О'Рейли был верной шпагой иберийской короны во многих сражениях. Ульоа остаток жизни провёл в уединении, занимаясь науками. Оба осели в Андалусии, близ порта Кадис. Граф О'Рейли построил здесь мощные береговые укрепления. Антонио де Ульоа открыл в Кадисе первую в Испании обсерваторию.

Фамилия О'Рейли промелькнёт и в русской культуре. Путешествовавший по Европе московский аристократ из рода Вяземских и Долгоруковых познакомился в Бордо с племянницей графа Дженни О'Рейли (в замужестве Квин). Он увёз Дженни от супруга-офицера, добился её развода и обвенчался в России вопреки воле своих родителей. В скандальном браке в 1792 году появился на свет полуирландец князь Пётр Андреевич Вяземский, будущий литератор, поэт, один из близких друзей Пушкина.

Превратности бордо на топких берегах Миссисипи обозначили грядущие политические коллизии. Как говорят французские виноделы, терруар — место происхождения — играет определяющую роль. В славном регионе Бордо на краю Атлантики в долине реки Жироны вина делят на левобережные и правобережные. Первые их них обладают более сильным и выраженным характером, а вторые — менее структурированные, моложе по нраву. На американском левом берегу великой реки активно заселялись и входили в экономический рост территории Кентукки, Теннесси, Иллинойса (пока ещё колониальные владения), а на правобережье — ждали своего исторического часа неоглядные земли целинной Луизианы.

Шпион, посол, ботаник

1784 году в городе Нью-Йорке родился современный план добиться свободы и независимости всего испано-американского континента», — записал в дневнике дон Франсиско де Миранда.

Сын торговца из Венесуэлы, Миранда начинал службу в Кадисе под началом графа О'Рейли, заслужил офицерские эполеты в боях с британцами во Флориде, был адъютантом губернатора Кубы. Отсюда Франсиско де Миранда руководил испанскими военными и торговыми поставками для тринадцати восставших североамериканских колоний, что дало историкам повод высоко оценить вклад венесуэльца в победу Американской революции.

Склонный к вольнодумству, подполковник Миранда вскоре нажил себе врага в лице всемогущей испанской инквизиции, был разжалован и приговорён к десятилетней каторге. Накануне ареста он сумел ночью сбежать из Гаваны в Америку на контрабандном судёнышке.

Недавнего союзника принимали в США радушно. Миранда свёл личное знакомство с ключевыми фигурами первого американского правительства — самим Джорджем Вашингтоном, вице-президентом Дж. Адамсом, министром финансов А. Гамильтоном, министром обороны Г. Ноксом. Пылкий южанин пытался увлечь американцев грандиозным планом: «освободительным походом» в испанские колонии — Луизиану, Флориду, Мексику и далее в Южную Америку — с целью создать в Новом Свете новую республику на манер Соединённых Штатов.

Миранду слушали благосклонно, выказывали осторожный интерес к «борьбе с тиранией», но в деньгах и прямой военной помощи отказали. Тогда дон Франсиско, поколесив по Европе под чужими именами, отправился на другой конец мира — в Российскую империю. «Семирамида Севера» Екатерина II, несмотря на официальные протесты испанского посла, произвела галантного креола в полковники Екатеринославского кирасирского полка, что было охранной грамотой, и поселила подле себя во дворце, дав повод фривольным слухам.

Мир становился глобальной «большой деревней» уже в XVIII столетии. Россия со времён Петра I принимала участие в Великих географических открытиях и великих географических авантюрах. В 1724 году царь всерьёз вынашивал планы колонизации Мадагаскара (обсуждалась также возможность покупки островов в Карибском море). Майора Абрама Ганнибала, прадеда Пушкина, отправили в противоположном направлении «с предписанием измерить Китайскую стену». В начале 1725 года Пётр I повелел командору Берингу открыть Америку с русской стороны.

Екатерина II вынашивала собственные имперские прожекты, и пассионарный заговорщик Миранда оказался весьма кстати. Именно в Северной Америке столкнулись геополитические интересы Мадрида и Санкт-Петербурга. Испанские претензии на тихоокеанское побережье Нового Света восходили к папской булле *Inter caetera* 1493 года, отдававшей Испании все территории Северной Америки, и действиям мореплавателя-первопроходца Васко Нуньеса де Бальбоа, провозгласившего в 1513 году все земли, прилегающие к Тихому океану, владением кастильской короны. Чтобы подкрепить свои трёхсотлетние притязания, Мадрид в конце XVIII века основал торговые и военные посты в Калифорнии, Орегоне и на побережье современной Канады, а летом 1790 года снарядил морскую экспедицию на Аляску, которую также провозгласили владением иберийского королевства.

В свою очередь, Екатерина II была настроена решительно. Капитан 1-го ранга Григорий Муловский, готовивший эскадру к дальнему походу, получил предписание утвердить «права на земли, российскими мореплавателями открытыя на Восточном море, защитить торги по морю между Камчаткою и западными американскими берегами лежащему, яко собственно и единственно к Российской державе принадлежащие...»

Из мемуаров Миранды известно, что венесуэлец посетил Кронштадт и наблюдал за приготовлениями к экспедиции. Полковник Миранда мог оказаться весьма подходящей политической фигурой для русского утверждения на Аляске и других землях, на которые предъявляла права «корона Гишпанская». Капитан Муловский получил приказ: «торжественно поднять Российский флаг по всей урядности» на территории Америки, а если встретятся какие-либо поселения чужеземцев, «то имеете вы право разорить, а знаки и гербы срыть и уничтожить».

Императрица лично осматривала шерстяные матросские носки и сшитые наподобие алеутских непромокаемые куртки для команды. Российский приоритет в Америке следовало также подтвердить установкой медно-железных знаков с православным крестом и медалями для раздачи туземному населению, которых было отчеканено для экспедиции 1700 штук.

В Мадриде по поводу «русской угрозы» нарастала нервозность. Секретная инструкция короля Карла III Государственному совету от 8 июля 1787 года предписывала мексиканским властям проявлять бдительность в отношении русских и ускорить колонизацию в Верхней Калифорнии. Отправке русской большой морской экспедиции помешали начавшиеся войны с Турцией и Швецией, капитан Муловский погиб в бою, а в дневнике Миранды появилась запись: «...сам дьявол не разберётся в этом придворном хитроумии...»

Бывший офицер испанской армии и русский полковник Франсиско де Миранда станет затем генералом революционной Франции (вызвав крайнее неудовольствие Екатерины), но вновь замкнёт политический круг: через двадцать лет вернётся в Нью-Йорк, чтобы реализовать мечту своей жизни. К тому времени в Северной Америке случились события не менее драматические.

В 1787 году в один из речных городков в Кентукки пришёл груз из Нового Орлеана: мука в дубовых бочках. Груз вызвал подозрения, ибо кентуккийцы сами поставляли муку на рынки Нового Орлеана и никак не нуждались в реэкспорте. Одна из бочек оказалась необычно тяжёлой. Среди отборной пшеничной муки в ней обнаружилась кожаная сума с золотыми испанскими дублонами. Кому предназначались эти немалые деньги, долгое время оставалось загадкой.

Испанцы присвоили своему секретному осведомителю кличку «Агент № 13» и щедро платили за особо ценные сведения. Он был высокопоставленным офицером американской армии, уроженцем Мэриленда, перебравшимся затем в Кентукки. Здесь он безуспешно пытался заработать на торговле табаком и рабами, а в 1787 году в Новом Орлеане предложил свои услуги испанской короне. Американец согласился употребить всё своё влияние, чтобы вывести штат Кентукки из федерального союза и сделать его испанской колонией.

«Агент № 13» был крайне осторожен и даже разработал собственный изощрённый буквенно-цифровой код. В 1790 году предатель оказал важную услугу Мадриду. Правительство Вашингтона, пытаясь отыскать пути для торговых караванов от Атлантического побережья к берегам Миссисипи, отправило на запад две партии военных топографов. Получив шифровку из Кентукки, испанский губернатор Луизианы Эстебан Миро поднял индейские племена против американцев, произошли кровавые столкновения, и идея торговых караванов была заброшена.

Самый высокопоставленный шпион XVIII века при жизни не был раскрыт. Более того, он пользовался уважением среди генералитета и у самых видных политиков, включая президента Дж. Вашингтона и госсекретаря Т. Джефферсона. Только в середине XIX века в результате кропотливых архивных исследований историка из Нового Орлеана тайна выплыла наружу. Пока же первому правительству США приходилось решать иные насущные задачи.

Весной 1793 года на улицах прибрежных американских городов можно было видеть стройного брюнета из Парижа в новеньком белом мундире. О молодом французском дипломате позднее написал Редьярд Киплинг: «Он разъезжал по улицам на коне с таким видом, будто он тут хозяин, и громко призывал всех и каждого немедленно отправляться воевать с англичанами».

В прошлом мсье Эдмон Шарль Эдуар Жене (Genet) был французским поверенным при дворе в Санкт-Петербурге. Екатерина II его не жаловала: в глазах императрицы вольнодумцы, вроде Жене, были зачинщиками революционной смуты в Париже. Незавидное положение Жене в русской столице не спасал даже тот факт, что он вырос в Версале, где две его старшие сестры были камеристками Марии-Антуанетты (и оставались с ней до дня ареста королевы).

Русская государыня откровенно третировала посланника: она не принимала его и не приглашала на дворцовые празднества; придворные и министры следовали примеру своей государыни. Стоит отметить, что Эдмон Жене не принадлежал к «жакобитам», как звали якобинских радикалов в России, а считался умеренным либералом-жирондистом. В официальном Петербурге республиканских тонкостей различать не желали, и дипломат пребывал в изоляции, с открытой слежкой за ним и перлюстрацией всей корреспонденции.

Вскоре Жене получил высочайшее предписание царицы покинуть пределы Российской империи, что он с величайшим облегчением исполнил. После себя посол оставил сбывшееся через десять лет мрачное предсказание. В одной из шифрованных депеш 1791 года Жене подробно информировал Париж о наследнике русского престола Павле Петровиче, сделав предположение, что «однажды он подвергнется той же участи», которая постигла его отца Петра III.

Ранее, будучи на своей первой дипломатической службе в Лондоне, совсем юный Эдмон Шарль высказал в частном письме другое пророчество, точнее, собственную мечту стать когда-нибудь гражданином молодой и многообещающей республики Нового Света и даже жениться на добропорядочной американке. Пожелание сбудется дважды.

Жители Соединённых Штатов восторженно встретили посланника республиканской Франции. Большинство американцев приняли известия о падении Бастилии и низложении короля с большой радостью, видя в них торжество того же дела, во имя которого они совсем недавно сражались с войсками британской монархии. Как вспоминал председатель Верховного суда США Джон Маршалл, «ни в одной части земного шара эта революция не была встречена с таким воодушевлением, как в Америке».

Тридцатилетний красавчик посол Жене, с лёгкостью изъяснявшийся по-английски, произносил пламенные речи о союзе двух сестёр-республик, пел с народом «Марсельезу» и основывал политические клубы на манер парижских. Он попросил американцев величать его «гражданином Жене».

В Филадельфии, временной столице страны, дипломата ожидал обескураживающе холодный приём. Президент страны генерал Джордж Вашингтон принял французского посла с сухой и строго официальной учтивостью. Только что президент подписал прокламацию о нейтралитете США в европейских конфликтах. Хотя слово «нейтралитет» в ней и не содержалось, но говорилось о «дружественном и беспристрастном» отношении ко всем воюющим сторонам. Американским гражданам запрещалось принимать участие в боевых действиях на море и доставлять в воюющие страны контрабандные товары.

Пылкий идеалист Эдмон Жене искренне недоумевал, почему американская республика не оказывает поддержку союзной Франции и не объявляет войну монархам в Лондоне и Мадриде. Жене собирался вырвать Луизиану из рук испанских Бурбонов—и видел в этом большие преимущества для США. Он также грезил «освободительными походами» во Флориду и Канаду. «Жене готов поднять трёхцветное знамя и провозгласить себя вождём»,—сообщал британский консул в Лондон.

Для выполнения особо важной политической миссии «гражданин Жене» привлёк известного учёного. Королевский ботаник Андре Мишо (*Michaux*) был в 1785 году отправлен Людовиком XVI в Америку для исследования её растительного мира. Он прошёл горы и долины континента от Великих озёр до Флориды, посылая результаты своих изысканий в Париж, а итогом его долголетних исследований стал фундаментальный труд «Флора Северной Америки». Учёный также основал первый в США ботанический сад.

В XVIII веке человеческие страсти и политические интриги могли сочетаться причудливо. Литератор Д. Фонвизин, автор «Бригадира» и «Недоросля», путешествуя по Европе, одновременно выполнял «деликатные» (осведомительские) поручения русского двора. Член Российской академии наук математик Ф. Эпинус успешно разгадывал шифры французской дипломатической службы, что доставило немало неприятностей Эдмону Жене в Санкт-Петербурге.

15 июля 1793 года ботаник Андре Мишо отправился на Запад, через Пенсильванию вниз по реке Огайо в Кентукки. По-

Мраморный бюст Т. Джефферсона работы Ж.-А. Гудона

мимо гербариев, учёный вёз в потайных карманах двадцать рекомендательных писем Жене, различные инструкции и воззвание к народу Луизианы на английском, испанском и французском языках.

Главным из адресатов Жене был генерал Джордж Роджерс Кларк, ветеран Войны за независимость США на западных землях. Кларк получил от «гражданина Жене» звучную должность «Главнокомандующего французским революционным легионом Миссисипи» и полномочия привлекать на службу поселенцев и индейцев.

По плану Жене, батальоны ополченцев под командой Кларка должны были очистить долину Миссисипи от испанцев и овладеть Новым Орлеаном. Дипломат-авантюрист рассчитывал на финансовую помощь из Парижа и французские фрегаты, базировавшиеся в Сан-Доминго. «Оригинальные, странные черты этой личности весьма характерны для романтической эпохи надежд и переворотов»,—отметит историк Натан Эйдельман.

Несколько месяцев Жене и Мишо провели в разъездах в безуспешных попытках собрать деньги на «освободительный поход» в Луизиану. Мечтавший о новых военных победах генерал Джордж Роджерс Кларк, потративший собственные сбережения на закупку лодок, амуниции и продовольствия, в итоге обанкротился и остаток жизни провёл в нищете. Обо всём этом регулярно сообщал испанским властям в Новом Орлеане таинственный «Агент № 13».

Единственный материальный успех, сопутствовавший Жене,—выписанные им каперские свидетельства и вербовка американцев в корсары. Около трёх десятков английских торговых судов были захвачены в результате необычайно активной деятельности француза. Посланник действовал в соответствии с инструкциями собственного правительства. Для Вашингтона и его министров это означало втягивание Соединённых Штатов в европейский конфликт.

Президент США отдал распоряжение госсекретарю Джефферсону требовать от французского правительства отзыва Эдмона Жене. К тому времени в Париже к власти пришли якобинцы во главе с Робеспьером, которые отправили на эшафот многих друзей посла из числа жирондистов. До Америки дошли слухи, что Национальный конвент дезавуировал дипломата и отправляет за ним корабль с судебными приставами.

Гражданин Жене не испытывал желания пополнить мартиролог французской революции. Он обратился к американскому президенту с просьбой о политическом убежище. Генерал Вашингтон оказался выше политической мстительности. Бывший посол с радостью променял неминуемую парижскую гильотину на нью-йоркский алтарь: Жене повёл под венец дочку губернатора штата Дж. Клинтона, будущего четвёртого вице-президента США.

С тех пор пламенный революционер стал жить на Гудзоне размеренной жизнью добропорядочного буржуа — Америка повидала немало подобных метаморфоз. Когда его первая жена умерла, Эдмон Шарль женился на дочери министра почт в правительстве Вашингтона и первого президента нью-йоркского Ситибанка. В каждом из браков он имел по пять детей.

Французская революция оставила натуралиста Андре Мишо без королевских средств. Ботаник вернулся на родину и ужаснулся: многие из отправленных им в Париж деревьев и растений были вырублены и вытоптаны «революционными массами». Несмотря на все перипетии, учёный продолжал свои изыскания в разных уголках мира. Он умер в 1802 году от тропической лихорадки на Мадагаскаре.

Столичный политес

Рубеж XVIII и XIX столетий обозначил бурные перемены в разных концах мира. В Америке со смертью Джорджа Вашингтона утратила влияние «гвардия федералистов». Президентом страны стал Томас Джефферсон, что современники расценили как «республиканскую революцию». В Европе взошла звезда Наполеона, и политическая карта ежегодно меняла очертания, когда монархи с лёгкостью лишались престолов и с неменьшей лёгкостью создавались новые монархии. В России родился Александр Пушкин и был убит в результате заговора император Павел I.

Две великие республики, изменившие мир, поначалу отличались бедностью. 19 февраля 1800 года, когда «гражданин Первый Консул Французской Республики» — таков официальный титул Наполеона — переезжал в дворец Тюильри, ставший его резиденцией в Париже, не нашлось прежних дворцовых карет, и должны были нанять извозчичьи, заклеив для приличия номера на них белой бумагой.

Томас Джефферсон стал первым американским президентом, инаугурация которого прошла весной 1801 года в недавно заложенной американской столице. Новый президент одевался в простой плисовый костюм и ездил из недостроенного Белого дома на заседания Конгресса не в карете, а верхом на лошади и сам привязывал её к кольцу у стены недостроенного Капитолия.

Два антипода внешне и внутренне — Джефферсон и Бонапарт — южане, выходцы из многодетных семей провинциальных землевладельцев. Отпрыски века Просвещения, в молодые годы вынесенные революцией на политический Олимп, никогда не встречались, хотя Джефферсон жил в Париже. Долговязый, рыжеволосый, веснушчатый плантатор из Вирджинии, мечтавший об аграрной демократии для своей страны, и смуглый коротышка-корсиканец, поразивший мир военными победами, разыграют на географической карте головокружительный гамбит.

В возрасте 33 лет юрист и философ Томас Джефферсон написал Декларацию независимости США, первый документ американской республики. В таком же возрасте генерал Бонапарт провозгласил себя пожизненным консулом с правом назначения преемника. На смену королевским лилиям на французских гербах пришли золотые пчёлы — Наполеон грезил новой империей.

Поначалу Луизиана занимала важное место в планах Бонапарта. Передача обширной американской колонии Испании воспринималась как одно из преступлений «старого режима».

Министр иностранных дел Франции Шарль Талейран летом 1800 года начал серьёзное дипломатическое наступление на Мадрид.

Новый король Испании Карл IV мало занимался политикой. Говорили, что невежественный монарх даже не знал, что в Северной Америке возникло новое государство Соединённые Штаты. Ежедневно по шесть часов в день король с сотнями слуг проводил на охоте, оставшееся время уходило на многочисленные увлечения: починку дворцовых часов, карточные игры, занятия у верстака и игру (весьма посредствен-

Семейство короля Карла IV (фрагмент картины Ф. Гойи)

ную) на скрипке. Полной противоположностью была его деятельная жена Мария-Луиза. Королева оказалась на удивление жёстким переговорщиком для эмиссаров Парижа. Быстро терявший терпение Наполеон пообещал ей в обмен на дикую Луизиану райский уголок в завоёванной им Тоскане (Северной Италии).

Венценосное испанское семейство втайне возрадовалось. Они провели «корсиканского бандита»: за болотистые низовья Миссисипи, которые не приносили доходов королевской казне, смогли получить настоящее сокровище — плодородную Тоскану и сотни тысяч новых подданных.

По указанию королевы министр иностранных дел Уркихо 1 октября 1800 года подписал в Сан-Ильдефонсо секретное соглашение, в соответствии с которым Карл IV возвращал Луизиану «дружественной Франции», а герцогство Тосканское, получившее новое наименование Королевство Этрурия, отходило мадридскому правящему дому. При заключении сделки испанцы на радостях также передали Бонапарту шесть своих фрегатов. Гражданин Первый консул в Тюильрийском дворце дал честное благородное слово, что Франция никогда не станет передавать Луизиану никакой другой стране.

От Флоренции до Миссисипи — таков масштаб интриги Наполеона. Вскоре выяснилось, что Тоскана-Этрурия не имеет политической самостоятельности и останется под контролем Бонапартовых генералов. Ни одна европейская держава не признала марионеточное королевство. Приезд в довольно запущенный дворец во Флоренции вызвал глубокое разочарование испанской инфанты Луизы, регентши своего сына Карла-Луиса. Мебель королеве собирали в местных аристократических семьях. Дочь испанского монарха, привыкшая к трапезе на золотой и серебряной посуде, с отвращением писала отцу, что в Этрурии ей приходится есть из фарфоровых тарелок.

Другим шагом Наполеона в создании великой империи стала оккупация Сан-Доминго (ныне Гаити). Карибский остров занимал важное стратегическое положение и был необычайно привлекателен для мировой коммерции. Американский историк Том Рейс писал: «Вест-Индия стала колониальной частью мира, в котором сахар считался редким, дорогим и исключительно полезным для здоровья веществом. Врачи восемнадцатого века прописывали сахарные пилюли практически при любом заболевании: при проблемах с сердцем, головной боли, чахотке, родовых схватках, сумасшествии, старости и слепоте. Отсюда французское выражение «как аптекарь без сахара» — о человеке, попавшем в совершенно безнадёжное положение. Сан-Доминго был крупнейшей фармацевтической фабрикой мира, которая производила чудодейственное лекарство эпохи Просвещения».

Поначалу Наполеон отводил Луизиане роль «продуктовой базы», откуда американское зерно и мясо через порт Новый Орлеан должны были поступать для французской армии и флота. Проблема заключалась в том, что намеченный Наполеоном в качестве «прихожей империи» Сан-Доминго был охвачен восстанием рабов. Его возглавлял бывший невольник Туссен Лувертюр, который изгнал с острова британских, испанских и французских колонизаторов.

Бонапарт недолго раздумывал над решением карибской задачи. В феврале 1802 года около 30 тысяч солдат — самая большая из заморских экспедиций Франции — высадились на Гаити. Командовал корпусом генерал Шарль Виктор Эммануэль Леклерк д'Остэн, женатый на младшей сестре Наполеона. Полина Бонапарт со своими слугами, богатым гардеробом и золочёной мебелью сопровождала мужа-генерала и рассчитывала создать в Сан-Доминго свой изящный двор. В её свиту на флагманском фрегате входили актёры, музыканты и танцовщицы. Среди инструкций командующему Леклерку была бумага о защите сахарной плантации Жозефины Бонапарт, супруги Первого консула.

На блестящую «семейную» кампанию шурину Наполеона потребовалось всего три месяца. Войска восставших были разбиты, их генерал Туссен Лувертюр запросил перемирия, был арестован Леклерком и закончил свои дни в сыром крепостном каземате во французских Альпах.

К этому времени Наполеон подписал в Амьене мирный договор с главной соперницей Великобританией и развязал себе руки для новых предприятий. В голландских портах начали собирать большую флотилию для отправки в Новый Орлеан, будущую столицу французской колониальной империи. Опытный чиновник Пьер-Клеман де Лосса был назначен префектом Луизианы. Гасконец Лосса с понятной пылкостью напишет жене с берегов Миссисипи: «Здесь отменное общество, вкус и изящные манеры».

В Вашингтоне недавно избранный президент Томас Джефферсон провёл немало тревожных дней. Франко-испанский договор о передаче Луизианы хранился в тайне, но уже в ноябре 1801 года Руфус Кинг, посол США в Лондоне, при помощи своих агентов раздобыл копию договора Сан-Ильдефонсо. Статьи секретного договора звучали набатным колоколом для американской республики. «Сонное царство Миссисипи» под сенью дряхлеющей испанской короны устраивало янки. Появление на западных границах США французского хищника с сильной армией и непредсказуемой внешней политикой означало большие потрясения.

Весной 1802 года Томас Джефферсон, отправив письмо американскому послу в Париже Роберту Ливингстону, не слишком сгустил краски: «Взоры каждого в Соединённых Штатах обращены на предприятие, связанное с Луизианой. Ничто со времён революционной войны не вызывает столь сильного возбуждения во всех слоях нации».

Что мог предпринять в складывавшейся драматически ситуации третий президент США? Атлантической республике из шестнадцати штатов не исполнилось и тридцати лет, и многие аналитические умы предрекали распад государства в будущем. Соединённые Штаты лавировали между ведущими колониальными державами—Великобританией, Испанией и Францией—и отчаянно пытались придерживаться нейтралитета. В отсутствие серьёзной армии и военно-морских сил, не имея влиятельного дипломатического корпуса, Джефферсон мог уповать только на небеса и на невероятные повороты европейской политики. Последних оказалось немало.

Вечером 3 нивоза (24 декабря) 1800 года Наполеон выехал из Тюильри в Оперу на премьеру оратории Гайдна. Карета была недалеко от цели, когда на повороте улицы Сен-Никез раздался оглушительный взрыв. В густом дыму, заславшем узкий проезд, сначала ничего нельзя было разобрать. Когда дым рассеялся, стало видно: мостовая и стены развоорочены, несколько убитых, десятки раненых на земле, кровь, битое стекло, кирпичи, превращённые в щебень. Наполеон спасся чудом: кучер его, слегка подвыпивший в тот вечер, бесшабашно гнал лошадей во весь опор, и взрыв «адской машины» произошёл через секунду после того, как карета Первого консула повернула за угол.

В те же зимние месяцы вызрел экзотический союз Бонапарта и российского императора Павла I. Русский царь с подачи Наполеона задумал «поразить Англию в самое её сердце — в Индию». Для будущего похода мобилизовали сорок полков Войска Донского. Первый поэт России, автор неофициального гимна «Гром победы, раздавайся» и государственный казначей Г. Р. Державин выделил на операцию баснословную сумму в 1,5 миллиона рублей.

Непосредственно войсками командовал генерал-майор Матвей Платов, будущий герой войны 1812 года. Пребывавшего в немилости Платова вытащили прямо из каземата Петропавловской крепости и доставили к царю. Павел сообщил атаману, что карт Индии у него нет. Тем не менее во дворце предполагали, что после успешного похода под протекторатом России окажется Северная Индия, примерно по линии Бомбей — граница Непала (Бомбей был бы русским портом).

1 марта 1801 года, за десять дней до того, как заговорщики удушат царя в собственной спальне, донские конные полки двинулись в безлюдные оренбургские степи. Сами служивые, кроме пяти высших офицеров, думали, что идут «воевать Бухарию». Про Индию они узнали, когда вышел манифест об «апоплексическом ударе» Павла, а самих казаков сразу же после дворцового переворота вернули на Дон. Индийский поход продлился три недели.

Бонапарт, узнав об убийстве императора, был в ярости. «Они промахнулись по мне 3 нивоза в Париже, но попали в меня в Петербурге», — говорил он. В Тюильри не сомневались в причастности Лондона к трагедии в Михайловском замке. Считалось, что организатор заговора, петербургский генерал-губернатор Пален, находился в тесном сотрудничестве с англичанами. Уже в ссылке на острове Святой Елены Наполеон, вспоминая гибель Павла I, неизменно возлагал вину на британского посла в Петербурге Чарльза Уитворта.

К осени 1802 года очередная внешнеполитическая комбинация Первого консула зашла в тупик. В Сан-Доминго французская армия впервые столкнулась с масштабной партизанской войной. Повстанцы совершали дерзкие ночные налёты из джунглей, жгли склады с провиантом, разрушали мосты, отравляли колодцы. Генерал Леклерк перевёл супругу Полину Бонапарт из губернаторского дворца в укреплённый форт — собиравшаяся содержать пышный двор и нести свет просвещения гаитянцам, любимая из трёх сестёр Наполеона пребывала, по сути, под домашним арестом.

Безжалостной Немезидой для захватчиков стали тропические инфекционные болезни, в особенности переносимая москитами жёлтая лихорадка (сами местные жители имели иммунитет к этой смертельной болезни). В Доминике умолкли разговоры о предполагавшемся походе Леклерка в Новый Орлеан. В сентябре 1802 года генерал доложил в Париж, что в результате эпидемии из двадцати восьми тысяч его солдат в строю остались не более четырёх тысяч. Спустя два месяца шурин Наполеона Шарль Виктор Эммануэль Леклерк скончался от жёлтой лихорадки.

Для амбициозного властителя Франции дверь в «прихожую империи» неожиданно и бесславно закрылась. Добившийся независимости остров вернул себе историческое название Гаити. «Чёртов сахар, чёртов кофе, чёртовы колонии», — по-солдатски выразился Бонапарт. Томас Джефферсон увидел в случившемся свой шанс.

Роли второго плана

Роберт Р. Ливингстон с полным правом может быть отнесён к отцам-основателям американского государства, хотя его исторические заслуги оказалась в тени деяний великих—Дж. Вашингтона, Б. Франклина, А. Гамильтона. Впрочем, сам Ливингстон никогда не рвался на ведущие исторические роли.

Коренной янки из Нью-Йорка, Роберт Ливингстон был одним из самых крупных землевладельцев штата. Тем не менее богатый и образованный лендлорд, выпускник Королевского колледжа (будущего Колумбийского университета), стал на сторону революции. Он вошёл в состав Континентального конгресса, заседавшего в Филадельфии, а летом 1776 года был избран в «Комитет пяти», который под началом Т. Джефферсона выработал текст Декларации независимости США.

Возглавив департамент иностранных дел Конгресса, Ливингстон заложил основы американской дипломатической службы. Он сыграл важную роль в мирных переговорах с Англией, добившись первой международной победы своей страны. Согласно Парижскому мирному договору 1783 года, Великобритания признала независимость Соединённых Штатов. Англичане также отказывались от притязаний на земли южнее Канады и восточнее реки Миссисипи.

В родном Нью-Йорке юрист Роберт Ливингстон возглавил высшую судебную инстанцию (прообраз Верховного суда), получив официальный титул «канцлера штата». Город Нью-Йорк в 1785 году стал первой официальной столицей США, а в апреле 1789 года «канцлер» Ливингстон принимал на Уолл-стрит присягу у первого президента страны Джорджа Вашингтона.

Свидетель и непосредственный участник самых важных событий американской истории, посол Роберт Ливингстон осенью 1801 года отправился за океан, чтобы принять участие в делах не менее грандиозных.

6 декабря 1801 года посланник Соединённых Штатов впервые предстал перед Наполеоном во дворце Тюильри. После

часа ожидания Ливингстон был удостоен короткой формальной аудиенции. Первый консул спросил у дипломата, бывал ли тот ранее в Европе. Получив отрицательный ответ, Бонапарт сказал: «Вы приехали в очень испорченный мир». Затем повернулся к своему министру иностранных дел Талейрану и с усмешкой добавил: «Расскажите ему, как коррумпирован Старый Свет. Вы ведь кое-что знаете об этом».

Высокий фактурный «канцлер» из Нью-Йорка сохранил самообладание. Он знал, с кем придётся иметь дело. Разговоры о продажности Талейрана и его умении выживать при любых политических режимах доходили до американских берегов. Князь Шарль Морис де Талейран-Перигор обладал гениальным историческим чутьём. Позднее он сам признавался, что приносил присягу четырнадцати режимам. Аббат де Перигор, епископ Отенский при Людовике XVI, он вошёл в революционное Учредительное собрание и даже стал его председателем. Перу аббата-расстриги принадлежали многие документы ещё не родившейся республики: закон о секуляризации церковного имущества (за что его отлучили от церкви), проект реформы образовательной системы Франции. Он также участвовал в подготовке знаменитой Декларации прав человека и гражданина. Наконец, депутат Талейран предложил сделать 14 июля, День взятия Бастилии, национальным праздником Франции.

Годы якобинского террора Шарль Морис де Талейран пережил в Америке, занимаясь земельными спекуляциями, а во времена Директории вновь был востребован и возглавил французское министерство внешних сношений. Встречаясь с Ливингстоном, «гражданин министр» на голубом глазу отрицал секретное соглашение с испанцами о передаче Луизианы французам. Все дипломатические усилия американского посланника разбивались о холодную непроницаемость искушённого царедворца.

Ливингстон сообщал Джефферсону, что прежние революционные привычки выходят в Париже из моды. В Тюильри вернулись слуги в золочёных ливреях, восстановлен пышный дворцовый протокол, даются аристократические балы, а вместо именного оружия, вручавшегося героям республики, На-

Роберт Р. Ливингстон

полеон ввёл иерархически организованный орден Почётного легиона. Томас Джефферсон держал в секрете свой день рождения, чтобы не создавать традицию чиновничьего подхалимажа. Во французском законодательном собрании был поставлен бюст Наполеона, а день рождения Первого консула (15 августа) объявили праздничным. Осенью 1802 года Роберт

Шарль Морис де Талейран (с картины Ф. Жерара)

Ливингстон докладывал в Вашингтон: «Здесь нет народа, депутатов или консулов. Один человек определяет всё. Он редко спрашивает совета и никогда не прислушивается к стороннему мнению. Его министры просто клерки, а легислатура и консулы — декоративные исполнители».

Ранее Наполеону приписывали известную фразу «Ни красных колпаков, ни красных каблуков», отвергавшую как диктатуру якобинцев, так и привилегии дворянства. Теперь же парижские сановники, включая Талейрана и самого Бонапарта, оделись в расшитые камзолы из красного бархата, который был запрещён во времена республики. Французская революция отменила рабовладение; Наполеон приказал восстановить рабство на Мартинике, Гваделупе и Гаити. «Мятежной вольности наследник и убийца», — скажет о Бонапарте Пушкин.

Тем временем в американской столице Томас Джефферсон проводил тревожные консультации со своим кабинетом. «Депеши с Востока» от дипломатических представителей из Лондона и Парижа совсем не радовали. Однако же «депеши с Запада» дышали грозой. 16 октября 1802 года испанский интендант Луизианы (французы ещё не вступили в официальное владение американской колонией) закрыл порт Новый Орлеан для американских негоциантов. Считается, что приказ исходил непосредственно от короля Карла IV и до сего дня вызывает споры историков. Подозревали также козни Бонапарта.

Закрыть единственный торговый путь американского Запада к морям означал поднести фитиль к бочке с порохом. Склады в порту ломились от невывезенных американских товаров и часто подвергались разграблению. Нарушались связи между Востоком и Западом страны. На просторах Огайо, Кентукки и Теннесси вновь возродилась идея «освободительного похода» гражданина Жене — и сам президент Джефферсон рассматривал возможность вооружённого захвата Нового Орлеана.

16 февраля 1803 года сенатор Джеймс Росс из Пенсильвании внёс резолюцию о предоставлении президенту полномочий на мобилизацию 50 тысяч ополченцев из западных штатов для немедленной оккупации Нового Орлеана и об ассигновании на эти цели 5 миллионов долларов. Сенат принял резолюцию,

выдержанную в менее воинственных тонах, но увеличил квоту до 80 тысяч добровольцев.

Как хороший шахматист, Джефферсон выбрал правильное время, чтобы перехватить инициативу. 8 марта 1803 года на помощь Ливингстону в ранге чрезвычайного посла был направлен бывший губернатор Вирджинии Джеймс Монро. Он вёз новые инструкции президента. По секретному запросу Джефферсона Конгресс США согласился выделить 2 миллиона долларов на покупку Нового Орлеана (официальная формулировка: «на непредвиденные дипломатические нужды»). Несмотря на сложное экономическое положение страны, Джефферсон был готов повысить ставку до 9 миллионов 375 тысяч долларов (50 миллионов франков). Сумма по тем временам была огромной, и обещать её президент мог под личную ответственность. Менее всего почтенный джентльмен, юрист и философ Томас Джефферсон хотел войти в историю в качестве политического авантюриста.

Американская казна не смогла найти средств даже на оплату поездки чрезвычайного посла в Париж. Бывший губернатор Джеймс Монро отправился во Францию за собственный счёт, продав домашнюю коллекцию китайского фарфора и часть мебели.

«Сена часто меняет свой цвет»,— одна из старых парижских поговорок. Роберт Ливингстон не оставлял усилий. Он издал в количестве двадцати экземпляров памфлет «Есть ли выгода от французского владения Луизианой?» с множеством политических и экономических доводов в пользу передачи устья Миссисипи американцам и переслал его Талейрану, членам семьи Бонапарта и влиятельным парижским друзьям. Зная, что во французской столице даже стены имеют уши, Ливингстон в частных беседах расписывал, как его молодая республика из слабого и «гадкого» утёнка в прошлом превращается в прекрасного лебедя международной торговли и дальновидного стратегического партнёра для мудрых друзей.

Известный своей рассеянностью дипломат сделал всё от него зависящее, чтобы тайная канцелярия Наполеона смогла

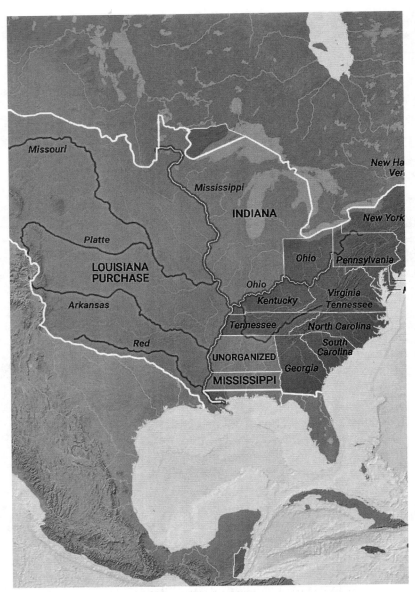

Карта Америки на момент покупки Луизианы

снять копию с личного письма президента США Ливингстону. В этом незашифрованном послании Томас Джефферсон выразился предельно жёстко: «На всём земном шаре есть только одно место, обладатель которого всегда будет нашим естественным и извечным врагом. Это Новый Орлеан. Товары, поступающие с половины нашей территории, идут через этот порт… Если французы овладеют Новым Орлеаном, нам ничего не останется, как пойти под венец с Британией и её флотом».

Наполеону докладывали о внезапно потеплевших отношениях Роберта Ливингстона и недавно появившегося в столице британского посла Чарльза Уитворта. «Человек, самым именем своим напоминавший о ночном убийстве в Михайловском замке, был направлен к Первому консулу в Париж, — писал историк А. Манфред. — Зачем? Предвестником новых злодеяний? Ночной совой, накликающей новые беды? Суеверный корсиканец испытывал к этому человеку отвращение, граничащее с ужасом. Взрыв ярости, внезапно овладевший Бонапартом на большом приёме у Жозефины 13 марта 1803 года, когда срывающимся голосом он кричал невозмутимому и надменному Уитворту: «Мальта или война! И горе нарушающим трактаты!» — этот взрыв ярости был порождён не только нарушением статей Амьенского мира. Ему посмели прислать послом человека, причастного к убийству Павла. В его собственный дом засылают убийц!»

В малярийных тропиках Гаити на глазах растаял французский экспедиционный корпус, а в портах Голландии намертво вмёрз в лёд наполеоновский флот (та зима в Европе оказалась необычайно холодной). Идея экспедиции в Луизиану отошла на второй план в свете новых политических вызовов. Амьенский мир с Великобританией доживал последние дни. Луизиана была беззащитна перед возможной атакой английского флота, а благожелательный нейтралитет американцев в грядущей европейской войне был бы на руку Франции. Сам Наполеон Бонапарт не раз цитировал изречение одного из маршалов Людовика XIII: «Для ведения войны необходимы три вещи: во-первых — деньги, во-вторых — деньги и в-третьих — деньги».

Наполеон в своём кабинете (с картины Ж.-Л. Давида)

11 апреля 1803 года Талейран пригласил Роберта Ливингстона для беседы в свой особняк. Подали вино в хрустале и отменные *hors d'oeuvres*. Повар Талейрана считался самым изощрённым «строителем блюд» во всём Париже. После протокольного обмена дипломатическими новостями глава внешнеполитического ведомства Франции с невозмутимым видом задал вопрос послу Соединённых Штатов: «Сколько вы хотите за всю Луизиану?»

Ливингстон на секунду лишился дара речи. Всего три недели назад холёное аристократическое лицо Шарля Мориса де Талейрана демонстрировало американцу святой патриотический эрфикс: «Ни пяди французской земли!»

Самое большее, о чём могли мечтать Джефферсон и Ливингстон — владеть окрестностями Нового Орлеана и устьем Миссисипи. Невероятным успехом считалось бы дополнительное приобретение части побережья Мексиканского залива (так называемой Западной Флориды). Инструкции, которые вёз Монро из Вашингтона, предписывали в случае отказа Наполеона добиваться права американской навигации на Миссисипи и свободной торговли через порт Новый Орлеан.

Великий интриган Талейран с оттенком лёгкого равнодушия в голосе предложил послу Ливингстону назначить цену за гигантский кусок североамериканского континента. Дипломат из Нью-Йорка сказал, что не готов сразу ответить на такое предложение, но выразил мнение, что американцев устроит цена в двадцать миллионов франков (около четырёх миллионов долларов). Наполеоновский министр сказал, что сумма слишком мала и что они могут вернуться к переговорам завтра.

До трёх часов ночи Роберт Ливингстон сочинял пространное послание в госдепартамент, понимая, что у него самого времени нет. Даже срочная депеша плыла через океан полтора месяца. Положительный или отрицательный ответ из американской столицы вернулся бы с той же скоростью. Ливингстон верно оценил ситуацию, что не в правилах корсиканца вести многомесячное дипломатические лавирование.

На следующий день, 12 апреля, в Париж прибыл Джеймс Монро, который также был сражён новостями Бонапартовой политики. У него даже разыгралась сильнейшая невралгия, отправившая чрезвычайного посла в постель. Вечером того же дня в американское посольство на улице Турнон явился глава казначейства Барбе-Марбуа с сообщением, что он уполномочен вести переговоры о продаже Луизианы.

Финансист и опытный дипломат Франсуа де Барбе-Марбуа (*Barbé-Marbois*), в отличие от Талейрана, считался неподкупным министром и самым исполнительным из высших чиновников Наполеона. Это вновь подтверждало, что переговоры будут деловыми, скорыми и без обременительного дипломатического котильона.

Казначей Наполеона назвал цену в 22 с половиной миллиона долларов за всю Луизиану. 15 апреля на новой встрече с Барбе-Марбуа американские дипломаты назвали свою цену — 8 миллионов долларов. Первый консул Франции взял паузу, подкинув дуэту заморских переговорщиков намёк на то, что он вообще может передумать. Потерявшие сон Ливингстон и Монро вновь засели за отчёты в Вашингтон, но решили не сдавать позиций.

Наполеон Бонапарт хранил молчание почти две недели. Непроницаемый глава внешнеполитического ведомства Талейран задерживал формальную процедуру вручения верительных грамот нового посла США. У Джеймса Монро от волнения вновь разыгралась ужасная невралгия. Чрезвычайный посол не вставал с постели, ибо любое движение вызывало нестерпимую боль в спине.

Утром 27 апреля Барбе-Марбуа явился в посольство Соединённых Штатов и у кровати Монро объявил, что Наполеон снизил цену до 16 миллионов. Болезнь болезнью, но янки умели торговаться. При следующей встрече 29 апреля американцы предложили 12 миллионов долларов. Джеймсу Монро на следующий день стало лучше — и стороны сошлись на 15 миллионах (80 миллионов франков).

В золочёной приёмной министерства финансов Франции под строгим взглядом «короля-солнца» Людовика XIV с гигантского парадного портрета проходили заключительные переговоры Барбе, Ливингстона и Монро о продаже «земель Луи». В другом парижском дворце в том же апреле 1803 года разыгралась не менее драматическая сцена. Наполеон принимал горячую ванну с розовым маслом, когда в Тюильри ворвались два его брата. Старший, Жозеф Бонапарт, и младший, Люсьен, не обладали талантами Первого консула, но пытались играть собственную роль во внешней политике. Братья уговаривали Наполеона не отдавать Луизиану. Дискуссия в ванной сопровождалась столь бурными корсиканскими эмоциями и жестами, что стоявший рядом слуга Наполеона упал в обморок. Пришлось звать других слуг на помощь, чтобы привести в чувство камердинера и вытащить консула из мраморной чаши. Братья Бонапарты громко хлопнули дверью ванной, а мокрый Наполеон в бешенстве разбил драгоценную табакерку о белый пол каррарского мрамора.

Сена, Миссисипи, Миссури

В первые дни 1803 года президент Джефферсон передал Конгрессу США секретное послание, в котором просил выделить сумму в две с половиной тысячи долларов на экспедицию, цель которой — найти водный путь по рекам и озёрам через весь американский континент до Тихого океана. Джефферсон писал: «Экспедиция посетит индейские племена, живущие вдоль Миссури, в целях налаживания торговли мехами, а также составит карты водного торгового пути к западному океану. Возглавит вояж способный и надёжный военный офицер с командой из 10–12 тщательно отобранных добровольцев».

Поскольку бюджет для секретного исследовательского похода в испано-французскую Луизиану был небольшим, законодатели деньги выделили. В конечном итоге расходы на будущую экспедицию превысят запрашиваемую президентом сумму в пятнадцать раз.

Задолго до того, как Джефферсон встал во главе правительства Соединённых Штатов, он мечтал об исследовании земель на западе континента. Скорее домосед, чем путешественник, он не совершал длительных вояжей. Единственным исключением была четырёхлетняя служба вирджинца в качестве посла США во Франции (1785–1789). Будучи в Париже, он составил уникальную для своего времени библиотеку: редкие фолианты различных наук заказывались во многих столицах Старого Света. Сам Джефферсон отметился несколькими трудами в области лингвистики и естественных наук; ему принадлежит, в частности, первое палеонтологическое описание останков американского мастодонта.

В 1786 году в Париже Джефферсону представили Джона Ледьярда, красноречивого, энергичного путешественника из Коннектикута, известного своим кругосветным плаванием с Джеймсом Куком. Он убедил американского посла, что совершит переход по суше из Москвы через Сибирь, пересечёт Берингов пролив, пройдёт весь американский континент и прибудет в Вашингтон. Джефферсон снабдил его дипломатическими документами. Джону Ледьярду удалось добраться до Иркутска, где он был арестован по приказу Екатерины II как французский шпион и выдворен из страны.

Томас Джефферсон, собравший в своём имении Монтиселло в Вирджинии лучшую в стране научную библиотеку, обладал самыми обширными сведениями о землях американского Запада. Впрочем, в этих английских, испанских и французских трудах содержалось слишком много небылиц. «Достоверные» источники утверждали, что где-то на просторах Северной Америки живут гигантские ящеры и агрессивные люди-циклопы, а климат непригоден для белого человека.

Попыток проникнуть в неизведанные земли было немало. Первым из исследователей считается кастилец Франсиско Коронадо. В 1540 году его отряд прошёл сотни километров в глубь материка, открыл его западное побережье, гигантские плоскогорья и отроги Скалистых гор, величайший в мире Большой каньон и огромные реки Колорадо и Рио-Гранде. Искавшие золото конкистадоры увидели лишь некоторую часть страны, увязли в безбрежном «океане прерий» и повернули назад.

Томас Джефферсон, подобно многим героям эпохи Великих географических открытий, не оставлял надежду отыскать несуществующий Северо-Западный проход, который якобы связывал между собой два океана. Таковой была основная цель готовящегося предприятия. Именно этот неумирающий миф владел умами европейских географов, мореплавателей, монархов. Когда Людовика XVI везли на эшафот, он поинтересовался у своего палача: «Нет ли вестей от экспедиции Лаперуза?»

В качестве руководителя предприятия президент США выбрал своего личного секретаря, капитана М. Льюиса. К своим двадцати восьми годам вирджинец Меривезер Льюис (*Meriwether Lewis*) обладал немалым опытом армейской службы на западных территориях США. Тем не менее Джефферсон отправил капитана на несколько месяцев в Филадельфию, где тот встречался с членами Американского философского общества, учился геодезии и копировал все доступные ему карты западных земель, брал уроки геологии, минералогии, ботаники и зоологии, приобретал необходимые медицинские знания и навыки навигации по звёздам.

Уровень американской науки в начале века оставлял желать лучшего. В мае 1803 года столичный архитектор Бенджамин Латроб, первый строитель Белого дома и Капитолия, направил подробное письмо в Американское философское общество, в котором высказал своё убеждение, что у парового двигателя нет будущего. Медицинские светила того времени полагались главным образом на кровопускание и рвотные средства (Джефферсон как-то написал: «Больной, которого лечат врачи, всё-таки иногда выздоравливает»). Сам автор Декларации независимости обосновывал территориальные притязания Соединённых Штатов тем, что Гольфстрим якобы вытекает из Миссисипи и является продолжением её течения. Поэтому он полагал, что всё омываемое Гольфстримом, должно быть американским.

Переговоры в Париже весной 1803 года подошли к концу. Поставив свою подпись под договором о покупке Луизианы, Роберт Р. Ливингстон расчувствовался: «Мы прожили долгую жизнь, но это — самое значительное достижение всей нашей жизни… С этого дня Соединённые Штаты занимают своё место среди первых держав мира».

Усадьба Т. Джефферсона «Монтичелло» в Вирджинии

Столовая в усадьбе Т. Джефферсона «Монтичелло»

Первый консул Франции Наполеон Бонапарт, подписав документ, обошёлся без романтических сантиментов: «Я только что предоставил Англии сильного соперника, который рано или поздно поколеблет её гордость и могущество».

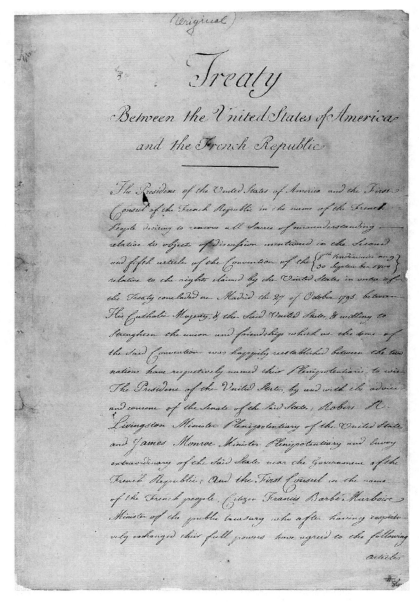

Первая страница договора о покупке Луизианы

Неоглядные земли от правобережья Миссисипи до Скалистых гор составляли 828 тысяч квадратных миль (2,1 миллиона квадратных километров). На новых землях могла разместиться вся Западная Европа. Цена одного акра приобретённой территории составила 3 цента (7 центов за гектар), что считается самой крупной и выгодной операцией с недвижимостью за всю человеческую историю.

По своим географическим масштабам Соединённые Штаты отныне могли сравниться лишь с одной страной—Россией. Императрица Екатерина II как-то написала: «Российская империя есть столь обширна, что кроме самодержавного государя всякая другая форма правления вредна ей, ибо все прочие медлительнее в исполнениях…» Президент Джефферсон, росчерком пера удвоив территорию США, писал о зарождении «империи свободы».

Ноту протеста испанского правительства по поводу «нечестной» продажи Луизианы Бонапарт оставил без внимания. Посол Мадрида в Вашингтоне маркиз де Ирухо вручил ноту, в которой говорилось, что продажа колонии является грубым нарушением прежних договорных обязательств со стороны Наполеона. В ответе президента США эти жалобы были квалифицированы как «частные вопросы, касающиеся Франции и Испании, которые им следует уладить между собой».

Юридическая сомнительность международной сделки всё же прослеживалась. Ливингстон и Монро, не обладая полномочиями на покупку гигантской Луизианы и без каких-либо финансовых гарантий, действовали на свой страх и риск, а генерал Бонапарт не имел конституционных полномочий на продажу французских владений (впятеро превышающих территорию самой Франции). Американские посланники знали, что по возвращении им придётся держать ответ перед президентом и Конгрессом. В отношении Первого консула вопросы легитимности отпали сами собой: через год с небольшим Наполеон возложит на себя императорскую корону.

Обе торговавшиеся на берегах Сены стороны не знали точных границ продаваемых земель. Существовавшие географические карты юга и запада Америки были весьма приблизительными, что породит долгий территориальный конфликт США с Испанской империей и даже вызовет разрыв дипломатических отношений в 1805 году.

Когда-то генерал Бонапарт дал совет разработчикам французской конституции: «Пишите коротко и неясно». Подписанный 2 мая 1803 года договор о Луизиане был составлен без лишних деталей. На вопрос Ливингстона, входят ли в заключаемое соглашение территории Западной и Восточной Флориды (ранее фигурировавшие во франко-испанских договорах), хитроумный министр Талейран ответил: «Не скажу ничего определённого, но уверен, что американцы извлекут максимальную выгоду из этого соглашения».

В июне 1803 года капитан Меривезер Льюис выбрал себе в помощники давнего знакомого по армейской службе лейтенанта Уильяма Кларка (младшего брата известного по луизианской авантюре Жене генерала Джорджа Роджерса Кларка). На реке Огайо в Питтсбурге были построены плоскодонное судно длиной 17 метров, которое могло идти по мелководью под парусом или на вёслах, и две большие гребные пироги; заготовлено оружие и снаряжение, необходимые для долгого путешествия. Несколько месяцев Льюис и Кларк набирали подходящих людей для экспедиции из числа военных и жителей западных штатов. До поступления окончательных сведений о политической судьбе Луизианы предприятие держалось в тайне.

Копии договора о покупке Луизианы были посланы из Франции в США тремя курьерами на трёх быстроходных парусниках. Потребовалось больше месяца, прежде чем гонец из Гавра первым достиг Америки. Произошло это 3 июля, накануне празднования Дня независимости США. Президент Джефферсон сделал самый лучший подарок ко дню рождения страны, хотя немногие это осознавали.

Соединённые Штаты не имели обещанных Франции 15 миллионов долларов (в 1803 году эта сумма вдвое превышала государственный долг страны). Выход нашёл искусный Франсуа де Барбе-Марбуа. За четыре недели до начала войны с Великобританией казначей Наполеона получил для американцев

Бархатный переплет официального договора о приобретении Луизианы
(Национальный архив в Вашингтоне)

Кабильдо — ратуша Нового Орлеана, где проходила
официальная церемония передачи Луизианы Соединённым Штатам

заём в лондонском банке Бэринга (*Baring & Co.*) под шесть процентов годовых на пятнадцать лет. В общем итоге сумма американских выплат составит 27 миллионов долларов.

Английский посол Чарльз Уитворт был отозван из Парижа в Лондон, что стало последним шагом дипломатии перед войной, и в это же время премьер-министр Великобритании одобрил финансирование сделки с Наполеоном в английских ассигнациях. Вытеснить корсиканца из Нового Света считалось приоритетной задачей на берегах Темзы.

Два с половиной года назад Томас Джефферсон в своей инаугурационной речи (в марте 1801 года) обещал американцам «малое правительство», сокращение государственных расходов и снижение национального долга страны. Вышло ровно наоборот: волевым усилием президент расширил границы государства, залез в колоссальные долги и вызвал длительные споры законников.

Первая сессия восьмого Конгресса США была специально перенесена с ноября на октябрь 1803 года. Джефферсон нервничал. Уязвимым местом в его послании Конгрессу было отсутствие конституционных прав федерального правительства на приобретение иностранных земель. У хозяина Белого дома также не было права брать в долг и тратить миллионы на подобные сделки без одобрения законодателей. При самом неблагоприятном раскладе третий президент США рисковал подвергнуться импичменту.

«Мы растягивали Конституцию так, что она трещала»,— признавался позднее Джефферсон. Поначалу президент подумывал о внесении в Конгресс соответствующей «луизианской» поправки в Конституцию, о чём советовался с ближайшими членами своего кабинета. Однако Ливингстон из Парижа доложил о возможных переменах в настроении Наполеона: «...малейшие затруднения приведут к тому, что вы лишитесь договора». Срок на ратификацию соглашения с Францией почти истёк.

Несмотря на всегдашнюю острую двухпартийную политическую борьбу на Капитолийском холме, звёзды сошлись на стороне президента. 20 октября 1803 года Сенат США после трёхдневных дебатов ратифицировал договор о покупке Луизианы 24 голосами против 7. В Палате представителей сделка с Наполеоном прошла с заметным скрипом—59 голосами против 57. От конгрессменов требовалось одобрить миллионные займы у европейских банкиров, а также утвердить имущественные компенсации подданным Франции и США.

К концу осени 1803 года «Корпус Открытия» (*Corps of Discovery*)—так Джефферсон назвал первую американскую экспедицию на запад—спустился по реке Огайо к Миссисипи, поднялся по главной реке континента на север до впадения в неё Миссури. Экспедиция Льюиса и Кларка стала на зимовку в лагере вблизи Сент-Луиса, столицы Верхней Луизианы. В те времена форт Сент-Луис (ныне в штате Миссури) был небольшим посёлком французских зверобоев и мехоторговцев. Официальные сведения о продаже Луизианы пришли сюда только к весне следующего года. Впрочем, всесведущий «Агент № 13» уже отправил шифровку испанским властям с советом перехватить экспедицию на западных землях.

Этрурия, Сан-Доминго, Новый Орлеан—таков был масштаб неудачной интриги Наполеона. Лукавая история в некотором смысле расширила Бонапартов пасьянс. Полноправным правителем Луизианы должен был стать не временный префект Пьер-Клеман Лосса, а генерал Бернадот, который даже выехал в порт Ла-Рошель, где его застала весть о продаже американских земель. Два гасконца, уроженцы города По, разминулись по обе стороны Атлантики. Пьер Лосса, молча глотая слёзы, провёл 20 декабря 1803 года официальную церемонию передачи Нового Орлеана янки, затем отбыл губернатором на остров Мартинику, где был взят англичанами в плен. Несостоявшийся правитель Луизианы Жан-Батист Бернадот станет одним из самых известных маршалов Франции, а затем—королём Швеции и Норвегии, родоначальником ныне здравствующей скандинавской династии.

В какие времена, читатель, история так запутывала географические карты?

Капитан Меривезер Льюис

«Корпус Открытия»

В понедельник 14 мая 1804 года экспедиция из сорока семи человек под командованием М. Льюиса и У. Кларка начала своё путешествие из Сент-Луиса в верховья Луизианы. Первые семь месяцев они шли под парусом, на вёслах или тянули волоком лодки вверх по реке Миссури, которая вела их на север и запад континента.

С первого дня путешествия оба командующих экспедицией, выполняя наказ Джефферсона, вели подробные дневники. В этих ежедневных путевых журналах впервые в американской истории описывались климат и рельеф, флора и фауна ещё не нанесённых на карту обширных территорий Миссури, Канзаса, Айовы, Небраски, Дакоты. Идущий в неведомое отряд представлял своего рода Ноев ковчег североамериканской цивилизации: солдаты и сержанты регулярной армии, лодочники, плотники и кузнецы-янки, франкоговорящие охотники и следопыты из канадских земель, полукровки с различными индейскими корнями, знакомые с местными племенами и обычаями.

Миссури обладает норовистым характером, в отличие от спокойной в среднем течении Миссисипи. Крупнейший приток величайшей североамериканской реки отличается быстрым течением, несущим с верховий стволы деревьев и прочий древесный мусор, и в то же время изобилует коварными отмелями, часто меняющими русло реки. Пройдя первые пятьсот миль, 26 июня 1804 года экспедиция добралась до впадения в Миссури реки Канзас и стала здесь лагерем на три дня для починки лодок и приведения в порядок амуниции и инвентаря.

Американцы вступили в не существовавшие на картах земли, куда не добирались белые поселенцы-пионеры, и лишь самые отчаянные охотники за пушниной рисковали подниматься ещё выше по реке. Льюис и Кларк с тревогой ожидали встречи с индейцами племени сиу—по рассказам, самом многочисленном и воинственном из племён в среднем течении Миссури.

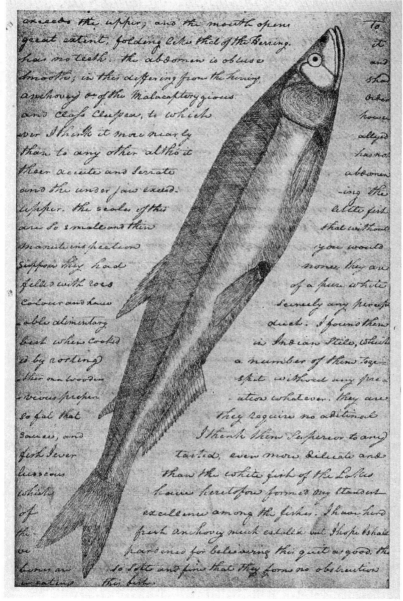

Страница из путевого журнала У. Кларка

Тем временем на Капитолийском холме в Вашингтоне разгорались яростные дебаты по поводу будущего административного устройства новых территорий, полномочий президента, военных губернаторов, временного правительства и создания выборных органов власти. Многим казалось, что испанское и французское католическое население Нового Орлеана и других присоединённых земель не впишется в американскую политическую структуру. Об этом, в частности, написал в Вашингтон временный губернатор Луизианы.

«Мы, подобно комете, устремились в необъятную вселенную», — с тревогой высказался сенатор Фишер Эймс. Многим казалось, что США «подавятся таким куском земли». Иные считали, что необычайные размеры территории изменят баланс политических сил в стране или даже вызовут ослабление государственной системы — оба сценария могли привести к расколу аморфного федерального союза.

Мануфактурная Новая Англия, ведомая штатом Массачусетс, более всех опасалась утратить торгово-экономическую гегемонию. Одна из бостонских газет заявляла: «Мы теперь обязаны уплатить огромную сумму, которой у нас нет, за землю, которой у нас и без того слишком много». В столице Массачусетса под началом сенатора Т. Пикеринга даже вызревал заговор с целью выхода из состава Союза штатов Новой Англии.

К концу лета 1804 года экспедиция Льюиса и Кларка достигла Великих равнин. Изобилие растительного и животного мира прерий поражало всех участников похода, о чём свидетельствуют записи в дневниках. Самое сильное впечатление произвели стада невиданных доселе великанов-бизонов, на которых устраивали охоту. К однообразному армейскому пайку добавлялись деликатесы: бизоний язык и мясистый бобровый хвост.

В первые недели в экспедиции имелись случаи дезертирства. В такой ситуации Меривезер Льюис и Уильям Кларк придерживались старого солдатского правила: «Сохранять запас виски до той поры, пока некуда будет дезертировать». Всем рядовым участникам похода были обещаны по возвращении награда в пятьдесят долларов (большая по тем временам сумма) и четыреста акров земли.

Сложнее обстояло дело с нарушениями дисциплины: отсутствием субординации, сном на посту и др. К суровым наказаниям плетьми два капитана поначалу прибегали часто. Постепенно, месяц за месяцем, отряд разных по возрасту, происхождению и привычкам людей превращался в эффективно работающую исследовательскую экспедицию.

В августе в землях будущего штата Айова «Корпус Открытия» потерял сержанта Чарльза Флойда, одного из первых волонтёров экспедиции. Он был тяжело болен несколько дней. Современные врачи полагают, что смерть Флойда наступила от последствий перитонита, вызванного разрывом аппендикса. Никакой врачебной помощи при «остром животе» в те времена не существовало. Сержанта похоронили с воинскими почестями на высоком утёсе над рекой Миссури. Сегодня именем Флойда назван один из округов (графство) в Айове.

23 сентября, во время стоянки на территории Южной Дакоты, произошла первая встреча с воинами племени лакота-сиу. Индейцев нисколько не впечатлили американские жесты мира и подарки, и они попытались помешать дальнейшему продвижению американцев. Вскоре на берег явились вождь сиу и шаман. Отведав виски, «пираты Миссури» (выражение Уильяма Кларка) затребовали целое каноэ, заполненное подарками. Тогда Меривезер Льюис приказал достать все ружья и зарядить картечью единственную пушку на носу корабля. Подумав, вождь сиу по имени Чёрный бизон пригласил американцев в свой стан. Гостям были оказаны знаки внимания, включая предложение выбрать себе индейских жён. Затем был исполнен красочный церемониальный танец со скальпами. На следующее утро речной путь был свободен.

4 июля 1804 года, в годовщину независимости Соединённых Штатов, офицеры-ветераны войны собрались на традиционный праздничный обед в Нью-Йорке. Председательствовал генерал А. Гамильтон, «правая рука» Вашингтона, министр финансов в первом правительстве страны. Слева от него си-

Индейские воины (с картины Ф. Ремингтона)

дел полковник А. Бэрр, действующий вице-президент США. «Странность их поведения была отмечена всеми, — вспоминал присутствовавший на обеде художник Дж. Трамбулл, — но мало кто подозревал о причине. Бэрр против обыкновения был молчалив, мрачен и угрюм, меж тем как Гамильтон с радостью предавался застольному веселью и даже спел старую военную песню».

Накануне они условились стреляться на дуэли, которая произойдёт через неделю, ранним утром 11 июля, на скалистом правом берегу Гудзона. Александр Гамильтон, «финансовый гений Америки», оставил дома письмо с признанием, что будет стрелять в воздух. Первый же выстрел вице-президента США оказался для него смертельным.

Аарона Бэрра (*Aaron Burr*) называли «падшим отцом-основателем» американского государства. Выпускник Принстонского университета, он был участником Войны за независимость США и адъютантом командующего Вашингтона. После войны Бэрр считался одним из лучших юристов в Нью-Йорке, стал сенатором и генеральным прокурором штата. Мастер политической интриги, он был в одном шаге от президентства: на выборах 1800 года Томас Джефферсон и Аарон Бэрр получили равное число голосов коллегии выборщиков — 73. В соответствии с законом, избрание президента перешло к Палате представителей Конгресса США. После напряжённых пяти дней и 36 туров голосования в Конгрессе президентом был избран Джефферсон (с разницей в один голос), а Бэрр стал вице-президентом.

Честолюбивый Аарон Бэрр затаил обиду как на Джефферсона, так и на Александра Гамильтона, который склонил законодателей не в пользу сенатора. Лидер федералистов Гамильтон считал Бэрра беспринципным интриганом, склонным к опасным для страны авантюрам. Спустя четыре года, вновь использовав своё влияние, Гамильтон провалил Бэрра на выборах губернатора Нью-Йорка. В ответ Бэрр, использовав газетную перепалку как повод, послал вызов на дуэль.

Самый громкий в истории страны поединок превратил погибшего Гамильтона в мученика за идею и в одного из самых популярных исторических персонажей США — и навсегда перечеркнул политическую карьеру Бэрра. Последний уже не мог рассчитывать на распределение власти и должностей в Вашингтоне и Нью-Йорке (в его родном штате против Бэрра возбудили уголовное дело о преднамеренном убийстве). Весной 1805 года, как только срок его вице-президентских полномочий истёк (и вместе с ними исчезла его юридическая неприкосновенность), полковник Бэрр отправился в длительное путешествие по Огайо и Миссисипи.

Недавний второй человек в государственной иерархии встречался с оппозиционно настроенными представителями западных штатов и искателями приключений в надежде захватить Новый Орлеан, отделить Луизиану, отвоевать Флориду, часть Техаса и Мексики и создать новую империю под его, Аарона Бэрра, руководством. Среди вовлечённых в круг заговорщиков-сепаратистов был генерал Джеймс Уилкинсон, первый американский губернатор территории Луизиана и платный осведомитель испанцев, известный под кличкой «Агент № 13».

За всё время путешествия руководители «Корпуса Открытия» не получали никаких известий из Соединённых Штатов. Более двух лет участники трансконтинентального похода находились в совсем ином, изолированном и неизученном мире. Они не знали, что осенью 1804 года Томас Джефферсон баллотировался на второй президентский срок и одержал впечатляющую победу. В тот год американские фрегаты, сражаясь с пиратами Средиземного моря, подвергли бомбардировке Триполи. Газеты Нью-Йорка и Филадельфии писали, что на улицах американских городов появилось новое «чудо света» — газовые фонари, которые неизменно собирали вокруг себя толпы зевак.

В Вашингтоне продолжался многолетний дипломатический спор с Испанской империей. Конфликт был порождён прошлыми секретными европейскими договорами. Президент США через своего посла в Испании Джеймса Монро официально настаивал, что Луизиана была *de jure* получена американцами в тех границах, в каких Франция владела ею в 1762 году. Это означало, что секретные сделки Мадрида с Людовиком XV в Фонтенбло, а затем с Наполеоном в Сан-Ильдефонсо подразумевали наличие в составе Луизианы земель Западной и Восточной Флорид и части Техаса. Король Карл IV отказывался эти территориальные претензии даже обсуждать.

В октябре 1804 года пиренейская монархия вступила в войну против Великобритании на стороне Франции. В благодарность Наполеон гарантировал неприкосновенность испанских владений в Северной Америке. Судьба малозаселённой Флориды, входившей в генерал-капитанство Куба, на некоторое время осталась неопределённой.

Напряжение между Вашингтоном и Мадридом могло драматически изменить судьбу первой научной экспедиции США. Четыре раза испанский губернатор отправлял из Санта-Фе отряды солдат, наёмников и индейцев-команчей на перехват «Корпуса Открытия» — и четырежды ошибался в расчётах. Плохое знание географии Колорадо, Небраски и Монтаны отличало обе стороны конфликта, но в 1804–1806 годах это спасло жизнь американцам.

В начале ноября 1804 года экспедиция Льюиса и Кларка решила стать на зимовку и построила бревенчатый форт близ селения индейского племени мандан (в нынешнем штате Северная Дакота). Закончив трудоёмкие астрономические вычисления, капитан Меривезер Льюис сделал запись в дневнике: «Форт Мандан. 1609 миль севернее устья Миссури».

Если посмотреть на карту, то можно увидеть, что экспедиция до зимы прошла чуть меньше половины пути. Но у Льюиса и Кларка не было никакого, даже приблизительного географического наброска. В Европе эту территорию называли «большим белым слоном». Первую из карт американского Запада двум капитанам предстоит вычертить самим.

С местными жителями-манданами удалось установить добрососедские отношения. Участники похода курили трубки мира и ели собачье мясо с аборигенами (подсчитано, что в голодные времена экспедиция съела около двухсот собак). Янки спали с индейскими женщинами с одобрения мужей, которые считали, что, поделившись жёнами, они обретут мудрость чужеземцев (некоторые из американцев обрели сифилис). В ту зиму стрелка термометра иногда опускалась до минус 40 градусов.

В экспедиции появились новые люди. К манданам на зимовку пришёл франкоговорящий канадец Туссен Шарбонно со своей шестнадцатилетней женой-индианкой по имени Сакагавея («женщина-птица»). Туссен был известен аборигенам как охотник за пушным зверем, а для американцев он станет незаменимым проводником, знакомым с землями Дакоты и Монтаны. Американцы не могли выговорить имя «женщины-птицы» и называли её Дженни. Считается, что девочкой Сакагавея была похищена из родного племени шошонов индейцами-хидатса, а Туссен Шарбонно затем выиграл её и другую жену у аборигенов в некоем охотничьем состязании.

В феврале Сакагавея родила в форте мальчика, которому отец дал имя Жан-Батист. Льюис помогал при родах, изготовив для женщины народное повивальное средство — толчёные кольца гремучей змеи. Льюис и Кларк возьмут всех троих в «Корпус Открытия». Наличие женщины с ребёнком в отряде говорило индейцам о мирных целях экспедиции. К тому же Сакагавея, родом из верховий Миссури, знала несколько местных индейских наречий.

В долгие зимние месяцы гарнизон форта Мандан продолжал поддерживать военный распорядок и полную боевую готовность. Частые смены караула, ежедневные проверки оружия и регулярные стрелковые учения были не лишними: индейцы-манданы постоянно ожидали нападения воинственных недругов лакота-сиу.

Меривезер Льюис день за днём вёл свои научные дневники, приводил в порядок собранные коллекции и опрашивал индейцев, какие реки и горы лежат дальше на пути следования «Корпуса». По весне, когда сойдёт лёд на Миссури, капитан отправит домой на большом корабле отряд из семи солдат, а экспедиция продолжит путь на двух гребных пирогах и нескольких индейских каноэ.

Отправленные на родину люди везли подробные отчёты двух капитанов президенту Джефферсону, географические карты и собранные по пути научные коллекции: 108 образцов растений, 68 образцов минералов, рисунки невиданных птиц и животных, чучела, словари племён саги, сиу, тетонов и мандан, шерсть бизона и клетки с живыми сусликами и рогатой ящерицей. Как окажется, это будет последнее дошедшее сообщение от экспедиции Льюиса и Кларка.

Для гостеприимных индейцев-манданов затяжная зима 1804–1805 годов также выдалась нелёгкой. Бизоны, основной источник пищи, мигрировали далеко в поисках пастбищ. В середине зимы жрецы аборигенов решили провести мистический трёхдневный молебен с пением и охотничьими танцами и пригласили к участию белых людей. Согласно индейским верованиям, сила, ловкость и умение охотиться может передаваться от одного мужчины к другому сексуальным путём через одну и ту же женщину (монах Грегор Мендель, «отец генетики», ещё не появился на свет). Бледнолицые братья поддержали обычай. Из дневников известно, что один неназванный рядовой экспедиции принял участие в «танце бизона» четыре раза. Через несколько дней совместная охота прошла на редкость удачно.

Время больших авантюр

олодые земли Америки всегда отличались беспокойным духом. Простое перечисление имён знаменитых «лихих» людей займёт несколько страниц. Авантюрное время создавало не только удалых молодцов, но и незаконнорождённые государства.

Четырнадцатым штатом американской федерации должен был стать штат Франклин, в 1784 году отделивший себя от Северной Каролины. Исторический курьёз просуществовал более четырёх лет, с действующим парламентом и писаными законами для своих восьми графств. Предложенная конституция штата Франклин вполне в духе большевизма запрещала избираться в местную ассамблею юристам, врачам и священникам, но была провалена на референдуме. Из-за недостатка наличных денег в штате ввели бартерную систему: губернатор Джон Сивиер получал зарплату в размере 1000 оленьих шкур, председатель суда—500 таких шкур, казначей—450 шкур выдры. В 1789 году не признанный американским Конгрессом штат Франклин, не выдержав экономического давления соседей, самораспустился, а его округа сегодня входят в состав штата Теннесси.

На территории Западной Флориды бывший английский офицер Уильям Огастес Боулз провозгласил в 1799 году индейскую республику Маскоги (по имени одного из племён). Благодаря своим двум жёнам из больших племён семинолов и чероки, Боулз был объявлен «Великим вождём». Поддерживаемый Британией глава республики Маскоги построил флотилию и вёл успешную пиратскую войну с испанцами в Мексиканском заливе. Правительство в Мадриде предложило большую денежную награду и полторы тысячи литров рома за его поимку.

За свою недолгую жизнь Билли Боулз лично видел двух королей: в Лондоне его обласкал Георг III и даже заказал его портрет в индейской одежде, а испанский монарх Карл IV распорядился доставить Боулза живым в Мадрид, где безуспешно уговаривал пленника перейти к нему на службу. На пути в каторжную тюрьму на Филиппинах «Великий вождь» смог поднять мятеж на корабле и вернулся во Флориду, чтобы продолжить войну с Испанией и США. К этому времени Великобритания заключила мир с Францией и Испанией, и американский авантюрист стал неудобной фигурой. Весной 1803 года, когда шли переговоры о продаже Луизианы, Боулз был предательски схвачен своими же подданными-индейцами, в лодке сумел перегрызть верёвки и сбежать, но вскоре был пойман вновь. Через два года глава непризнанной республики закончил свой путь в крепостной тюрьме Гаваны, отказавшись принимать пищу.

7 апреля 1805 года экспедиция под командованием М. Льюиса и У. Кларка, покинув форт Мандан, продолжила свой путь на запад континента. В отряде было 33 человека, включая индейскую «женщину-птицу» Сакагавею и её новорождённого сына, который путешествовал в заплечном мешке. Им пред-

стояло пройти через неведомые земли Северной Дакоты, Монтаны, Айдахо и Орегона.

Капитан Льюис записал в дневнике: «Мы проходим мимо лесистых берегов, на которых охотится, судя по рассказам, слышанным нами в Мандане, злобное племя. Но пока наш единственный враг — Миссури. Что за река! На ней через каждую милю пороги, и она несётся, подмывая высокие песчаные берега, которые иногда обрушиваются прямо перед нашими лодками вместе с прибрежными деревьями. Нечего и думать отправлять кого-то назад. Да и люди здесь нужны все до одного. Все они с утра до ночи живут в мокрой одежде, гребут иногда под снегом, который идёт, несмотря на май месяц. Но они хотя бы не голодны. Река кишит бобрами, а прибрежные леса полны дичи. Лоси, олени. А недавно мы решились подстрелить гигантского медведя. Охотились на него, как индейцы, — группой. Мы всадили в него три пули, и он всё ещё был жив. И он кинулся на Хью Макнила. Чтобы спастись от его когтей, Хью прыгнул в реку».

13 июня 1805 года «Корпус Открытия» достиг Больших водопадов (Грейт-Фолс) на реке Миссури, первое описание которых сделал М. Льюис, а его партнёр У. Кларк вычертил подробную карту. Чтобы преодолеть каскады Больших водопадов, пришлось затратить почти месяц на многокилометровый обход, перетаскивая лодки на самодельных тележках, которые постоянно ломались.

25 июля экспедиция добралась до истока Миссури, который образуется слиянием трёх больших речных притоков (Три-Форкс). По совету Сакагавеи, которая провела детство в этих краях, Льюис и Кларк выбрали для путешествия правый приток, который назвали Джефферсон — в честь президента США.

Капитан Льюис с несколькими людьми ушёл вперёд, рассчитывая найти за ближним перевалом начало водного пути к Тихому океану, но был сильно разочарован, увидев лишь бескрайние ряды острых горных хребтов, которые назвал «снежным барьером». Корпус под командой Кларка продолжал тащить лодки против течения. Более всего теперь два американских офицера желали встретить аборигенов. Чтобы пересечь горные цепи, нужны были индейские лошади и проводники. Запасы продовольствия неумолимо иссякали. Без помощи местных жителей «Корпусу Открытия» угрожала смерть от голода и морозов в высокогорных районах.

В нынешнем штате Айдахо случилась встреча, относящаяся скорее к жанру приключенческих романов, предсказать или придумать которую было невозможно. Американцы наконец встретили воинов-шошонов, которые поначалу были настроены совсем недружелюбно. Переговоры даже грозили перейти в вооружённое столкновение (у туземцев было многократное численное превосходство), как Сакагавея неожиданно бросилась к индейскому вождю. Выкраденная из родного племени девочкой, «женщина-птица» узнала в вожде шошонов своего родного брата. Слёзы, объятия — и американская экспедиция была спасена.

Переговоры с шошонами происходили следующим образом. Сакагавея, не знавшая английского, переводила с языка шошонов на диалект хидатса. Её муж Туссен Шарбонно, который также не говорил по-английски, но знал слова хидатса, передавал информацию далее на французском другому члену экспедиции, Франсуа Лабишу, знакомому с обоими европейскими языками. Слова Льюиса и Кларка переводилась шошонам в обратном порядке.

Переход с местными проводниками через Скалистые горы оказался невероятно тяжёлым. Индейские лошади скользили и срывались в пропасть. Мороз обжигал лица и конечности. За каждым преодолённым перевалом начинался новый. Из еды оставались только сушёные индейские коренья и мясо павшей лошади. Американцы съели большую часть своих сальных свечей.

Переход через высокогорья превысил все мыслимые человеческие возможности. Большинство членов экспедиции были больны: тяжёлые травмы, простудные заболевания, почти поголовная дизентерия. По всей видимости, в те дни Меривезер Льюис пережил глубочайшую депрессию и утратил свои лидерские качества. Трудно сказать, что в большей степени повлияло на него: физические лишения или осознание того

Скалистые горы (с картины А. Бирштадта)

факта, что никакого водного пути к Тихому океану — главная исследовательская цель экспедиции — не существует. На долгое время Льюис, всегда любивший доскональные исследования, перестал вести записи в журнале. В дневниках других в то время о капитане нет никаких упоминаний.

В конце сентября 1805 года «Корпус Открытия» набрёл в заснеженных горах на ручей, который, по их предположениям, должен был соединиться с рекой Колумбией, известной американцам как главная водная артерия, идущая к Тихому океану. Длинный спуск привёл голодных, ослабевших путешественников в гостеприимный лагерь индейцев нез-пирс («проколотые носы»), где их обогрели и накормили речным лососем. Вяленая рыба не впечатлила участников похода; ей предпочитали любые свежие охотничьи мясные трофеи: бобров, белок, сусликов, койотов.

После долгого сплава по горным порожистым рекам 18 октября экспедиция вышла на широкую воду реки Колумбия. Впереди их ожидал слалом на сужениях реки и долгий волок лодок вокруг знаменитых Каскадов, где перепад высот составляет 146 метров. Через месяц пути «Корпус Открытия» увидел берега Великого океана.

В ноябре 1805 года на американской сцене вновь появился венесуэлец Франсиско де Миранда. В Нью-Йорке ему удалось зафрахтовать шестнадцатипушечный корабль и начать вербовку добровольцев. Дон Франсиско по-прежнему видел себя во главе гигантской империи, вытянувшейся от устья Миссисипи до самой оконечности Южной Америки, именуемой Колумбией. Название это осталось в истории как имя одного из государств, равно как и жёлто-сине-красный триколор Миранды — будущий национальный флаг Венесуэлы.

В военной экспедиции участвовали 192 волонтёра. Среди них были такие колоритные фигуры, как восемнадцатилетний Дэвид Бернет, в будущем президент отделившейся от Мексики независимой республики Техас, и Уильям Смит, внук президента США Джона Адамса, в будущем секретарь первого американского посольства в России.

Река Колумбия

Борцы за свободу пересекли Карибское море и высадились на побережье Венесуэлы. Им удалось захватить крепость Коро. Неожиданно оказалось, что королевские войска были готовы к вторжению, а тёмное и забитое местное население не поддержало призывы к восстанию. Через две недели разбитый испанцами Миранда вновь покинул родину. Его корабль направился на карибский остров Арубу, принадлежавший Голландии. Сама Голландия была оккупирована Наполеоном, поэтому Миранда счёл возможным, в свою очередь, оккупировать Арубу («указав выскочке Бонапарту его место», как писали британские газеты).

В конечном итоге несостоявшийся глава «Великой Колумбии» осел в Лондоне, чтобы продолжить свою конспиративную деятельность. Пиренейская монархия ещё не один год будет требовать от Соединённых Штатов возмещения убытков, причинённых нью-йоркской экспедицией.

У беглого испанского каторжника и полковника русского кавалерийского полка Миранды оказался конкурент масштабом побольше. Бывший сенатор и третий вице-президент США Аарон Бэрр был тем человеком, который передал агентам Мадрида информацию о готовящемся предприятии Франсиско де Миранды. У Бэрра были собственные политические амбиции, связанные с захватом испанских колоний.

В апреле 1805 года бывший вице-президент отправился в западные штаты с целью прощупывания взглядов и настроений местных жителей. Идеи сепаратизма здесь были по-прежнему живы, а среди особенно недовольных новыми вашингтонскими порядками были жители Нового Орлеана. Аарон Бэрр вербовал в свои ряды солдат, фермеров и местную верхушку, не скупясь на щедрые посулы земли и власти в новом государстве.

Генерал-оборотень Джеймс Уилкинсон, платный агент испанцев и одно время командующий американскими войсками на Западе, поначалу склонялся на сторону Бэрра, но в последний момент переметнулся на сторону Джефферсона. Именно благодаря доносу генерала с приложенными кодированными письмами Бэрра Уилкинсону президент США смог получить ордер на арест высокопоставленного «государственного изменника».

Аарон Бэрр сдался без сопротивления, но в первую же ночь сбежал из-под стражи. За поимку заговорщика было назначено вознаграждение в 5 тысяч долларов. Его схватили в феврале 1807 года в глухих лесах на территории нынешней Алабамы и доставили для суда в Ричмонд, столицу штата Вирджиния. Хладнокровный и изворотливый Бэрр с командой из четырёх адвокатов сумел отвести большинство аргументов обвинения. Так, подготовка вооружённого похода в испанские земли объяснялась размытостью границ, юридической спорностью территорий Флориды и Техаса. Казуистически звучали слова адвокатов вице-президента, что нельзя судить человека исключительно за намерения. Мистер Аарон Бэрр, говорили они, лишь собирался совершить государственную измену и мятеж — но ведь не совершил же!

Председатель Верховного суда США Джон Маршалл распорядился оправдать и освободить Бэрра «за недостаточностью улик». Многие подозревали в этом судебном решении многолетнее политическое соперничество двух ветвей власти и долгую взаимную неприязнь Маршалла и Джефферсона.

Преодолев Скалистые горы, «Корпус Открытия» покинул территорию, формально принадлежавшую США по Луизианскому договору, и спустился в земли, на которые претендовали Британия, Испания и Россия. По времени поход Льюиса и Кларка совпал с первой русской кругосветной экспедицией под командованием И. Крузенштерна (1803–1806), а среди важнейших составляющих как американского, так и российского амбициозного предприятия было исследование тихоокеанского побережья Северной Америки. Обе военные партии оказались в одно и то же время в одном и том же месте.

Один из организаторов и руководителей кругосветного плавания, камергер Николай Резанов, больше известен по сильно приукрашенной романтической истории в мюзикле «Юнона и Авось». Его карьера по своему динамизму, взлётам и падениям целиком принадлежала авантюрному веку —

недаром острослов Талейран как-то произнёс: «Кто не жил в XVIII веке — не жил вовсе».

Сын худосочного дворянина, Резанов начинал службу в Измайловском полку и даже был взят в личную охрану Екатерины II. Статный молодой гвардеец, примерявшийся к роли фаворита, неожиданно пал жертвой придворных интриг, покинул службу и прозябал судебным делопроизводителем в Пскове. Новый, в духе времени виток судьбы вознёс его в начальники канцелярии Г. Р. Державина, кабинет-секретаря императрицы. Екатерина явно благоволила к исполнительному красавчику Резанову, поэтому ревнивый фаворит государыни Платон Зубов отправил «соперника» подальше, в Иркутск, инспектировать деятельность сибирских купцов.

Вопрос брака у людей практичных рассматривался как часть карьеры. Опальный петербуржец сделал предложение шестнадцатилетней дочке купца Г. Шелихова, основателя первых русских поселений на Аляске. Дочь богатейшего пушного торговца получила в браке дворянство, а Резанов — громадное приданое, войдя в совладельцы Русско-американской компании.

После смерти Екатерины II и падения её фаворита Зубова Николай Резанов (к тому времени овдовевший) успешно лоббировал интересы пушной монополии при дворе. Венцом его карьеры стало звание действующего камергера и назначение руководителем первой русской кругосветной экспедиции. Император Александр I поставил перед Крузенштерном и Резановым целый ряд задач дипломатического, политического и исследовательского характера. Американские капитаны Льюис и Кларк полтора года шли к берегам Тихого океана; камергер русского двора Резанов проплыл полмира, направляясь к берегам Аляски.

Зиму 1805–1806 годов американский «Корпус Открытия» провёл в устье реки Колумбии (в нынешнем штате Орегон), где был построен небольшой деревянный форт. За почти четыре месяца зимовки выдалось всего двенадцать дней без осадков. Дождь, ветер с океана, мокрый снег, вечная сырость — вся экспедиция буквально пропиталась влагой, а одежда и мокасины из оленьих шкур сгнивали на самих людях. Однообразная еда (в основном лосиное мясо) и постоянное ожидание нападения индейцев настроения не добавляли. В мрачном и тесном форте у океана, больше похожем на тюрьму, чем на зимний лагерь, они продолжали болеть кожными и простудными заболеваниями, у многих развились симптомы цинги.

Николай Резанов в ту зиму обратился к своей грандиозной идее: созданию русских поселений в устье реки Колумбии и далее в Верхней Калифорнии. 15 февраля 1806 года он писал в Санкт-Петербург: «…ежели б удалось нам на Коломбии заселиться, обращали бы мы уже оттуда суда наши, и тогда весь бобровый промысел в одних руках наших был. Для достижения сего нужно скорее устроить здесь военные брики… основать на Коломбии селение, из которого мало-помалу можем простираться далее к югу к порту св. Франциска границу Калифорнии составляющему».

Восстановивший физические и душевные силы капитан Меривезер Льюис в тот же месяц сделал похожую запись в дневнике: «…исключительно благоприятным для меховой торговли с Востоком выглядит путь через реку Колумбию и Тихий океан».

Камергер двора Александра I не был мечтателем, но реалистом. На Аляске Николай Резанов купил заезжий американский парусник «Джуно» («Юнона») и отправился к берегам залива Сан-Франциско. Русские поселенцы нуждались в развитии торговли, в частности поставках зерна и других продуктов. По пути камергер вошёл в устье Колумбии, подыскивая место для будущего поселения. Считается, что Льюис и Кларк разминулись с Резановым всего на девять дней — «Корпус Открытия» уже отправился в обратный путь.

В марте 1806 года «Юнона» пришвартовалась в заливе Сан-Франциско. Испания тогда была союзницей Наполеона, и поэтому отношения с русскими не приветствовались. Кроме того, любые сношения колонистов с чужеземцами в обход мадридского двора были чреваты неприятностями. Тем не менее обаятельный Николай Резанов сумел произвести самое благоприятное впечатление на коменданта крепости Хосе Дарио Аргуэльо. В обратный путь «Юнона» увезёт полный трюм испанского продовольствия для русских на Аляске.

Самый трогательный персонаж в той авантюрной истории—пятнадцатилетняя дочь коменданта Мария де ла Консепсьон Марселла Аргуэльо (Кончита). Резанов пробыл в форте Сан-Франциско шесть недель, по его словам, «ежедневно куртизуя гишпанскую красавицу». Через некоторое время он сделал ей предложение руки и сердца. Комендант Аргуэльо, отец Кончиты, не догадывался, что импозантный камергер в расшитом золотом мундире—вдовец с двумя детьми, задумавший «включить» калифорнийские земли «в число Российских принадлежностей».

Сам Николай Резанов признавался в письме свояку и партнёру по пушному промыслу: «Из калифорнийского донесения моего не сочти, мой друг, меня ветреницей. Любовь моя у вас в Невском под куском мрамора, а здесь следствие ентузиазма и новая жертва Отечеству. Консепсия мила, как ангел, прекрасна, добра сердцем, любит меня; я люблю её и плачу о том, что нет ей места в сердце моём, здесь я, друг мой, как грешник на духу, каюсь, но ты, как пастырь мой, сохрани тайну».

После помолвки сорокадвухлетнего Резанова и пятнадцатилетней Кончиты камергер вернулся на Аляску. Условились, что Николай будет просить ходатайства императора Александра I Папе Римскому на брак с католичкой. Правителю Русской Америки А. Баранову сметливый колонизатор оставил подробные инструкции по освоению земель Калифорнии. Его планы начнут осуществляться через несколько лет: русские сумеют основать несколько факторий в Верхней Калифорнии, включая известный форт Росс, просуществовавший до 1841 года.

В конце сентября 1806 года Резанов пересёк океан, добравшись до Охотска. Начиналась осенняя распутица, ехать дальше было нельзя. Но Николай Резанов, полный коммерческих и матримониальных планов, спешил и отправился по «многотрудному пути верховою ездою». Перебираясь через реки, несколько раз падал в воду, ночевал в снегу, страшно простудился. В Якутске путешественник пролежал в горячке и беспамятстве двенадцать дней. Как только очнулся, снова пустился в путь. Всё кончилось тем, что камергер в дороге потерял сознание, упал с лошади и сильно ударился головой. Его едва довезли до Красноярска, где 1 марта 1807 года Резанов скончался.

Кончита долго ждала своего суженого и никогда не вышла замуж. В конце жизни испанка ушла в женский монастырь ордена Святого Доминика в Монтерее. Она пережила Резанова на пятьдесят лет. Говорят, что на том месте, где любила сидеть одинокая невеста, всматриваясь в морскую даль, стоят опоры знаменитого сан-францисского моста «Золотые ворота».

Наследие

Двадцать третьего сентября 1806 года экспедиция Льюиса и Кларка завершила поход, возвратившись в Сент-Луис. Беспрецедентное путешествие почти в 8 тысяч миль заняло два года, четыре месяца и десять дней. На родине их считали пропавшими без вести.

Историк Стивен Амброс писал: «Они начали командой, а стали семьёй. Они могли узнать друг друга по кашлю, по походке, они знали вкусы друг друга, они знали достоинства и недостатки друг друга. Они знали, кто лучший стрелок, кто быстрее всех разжигает костёр в дождливый день, кто самый сообразительный, кто самый терпеливый. Они знали всех родных и близких друг друга, они знали все надежды, опасения, все мечты. Вместо команды образовалось братство. Каждый из них бросался на спасение товарища, не думая об опасности для себя. Именно поэтому они все и остались живы. И только поэтому они смогли совершить переход, который до сих пор изумляет нас своей дерзновенностью».

В 1807 году президент Джефферсон назначил М. Льюиса губернатором территории Луизиана. Как считают историки, административные обязанности оказались не по плечу вчерашнему герою. Меривезер Льюис ссорился с местными политиками, торговыми людьми и не достиг взаимопонимания

Монумент «Ворота на Запад» в Сент-Луисе

с индейскими вождями. Накопившиеся крупные денежные долги усугубляли его приступы депрессии, которые губернатор пытался заглушить алкоголем. У Льюиса было несколько неудачных романов, и он остался холостяком. Офицер, блестяще руководивший трансконтинентальной экспедицией, не нашёл себя в гражданском обществе — ночью 11 октября 1809 года он выстрелил в себя из двух пистолетов в сельской таверне в штате Теннесси.

Второй руководитель экспедиции, Уильям Кларк, удостоился почётного звания генерала ополчения и был назначен главноуправляющим по делам индейцев Луизианы. Аборигены относились к нему с большим уважением и нарекли генерала «Красной головой» — из-за огненно-рыжего цвета волос. Позже Кларк стал губернатором территории Миссури. Узнав о ранней смерти «женщины-птицы» Сакагавеи, губернатор съездил в Мандан и взял на воспитание её двух детей. Собственному старшему сыну он дал имя Меривезер Льюис Кларк.

Экспедиция Льюиса и Кларка стала прологом к эпическому рождению Соединённых Штатов в качестве великого континентального государства. Осознание масштабов страны, простирающейся от Атлантики до Тихого океана, её огромных возможностей для миллионов простых людей, оказалось началом мощнейшей духовной революции в новом столетии. Американский XIX век, по определению писателя Ирвинга Стоуна, был «эпохой ярких, драматических, бурных и героических саг о продвижении рода человеческого по Земле».

В 1812 году южный штат Луизиана стал первым из вошедших в федеральный союз американских штатов к западу от Миссисипи. Интересно, что и в наши дни в законодательстве Луизианы действуют некоторые положения Гражданского кодекса Наполеона. Со временем на купленных в 1803 году у Франции землях расположились (полностью или значительной частью) ещё 14 новых американских штатов: Айова, Арканзас, Вайоминг, Канзас, Колорадо, Миннесота, Миссури, Монтана, Небраска, Нью-Мексико, Оклахома, Северная Дакота, Техас и Южная Дакота.

Один из памятников М. Льюису и У. Кларку

В 1809 году русский консул в США Андрей Дашков сообщал правителю Русской Аляски Александру Баранову, что отчёты участников экспедиции «хотя, уже с год обязаны быть выданы в свет, до сих пор, *не знаю, чего ради,* (выделено Дашковым—*Л. С.*) ещё и не печатаются». Первое сводное издание путевых журналов Льюиса и Кларка состоялось только в 1814 году. Многочисленные комментированные переиздания сделали их не только историческим документом, но и литературным памятником эпохи.

Историк Натан Эйдельман писал о России начала XIX столетия: «Огромные расстояния—немаловажный элемент истории, социальной психологии страны. То, что ещё ждёт освоения великой литературой XIX века». Американская литература также «осваивала» свои гигантские просторы—с книгами Вашингтона Ирвинга и Фенимора Купера образы Нового Света входили в мировую культуру. Перу А. С. Пушкина принадлежит пророческое высказывание о том, что бывшие индейские «пространные степи и необозримые реки» весьма скоро «обратятся в обработанные поля, усеянные деревнями, и в торговые гавани, где задымятся пироскафы (пароходы—*Л. С.*) и разовьётся флаг американский».

У Соединённых Штатов того времени появился иного рода первопроходец, который, впрочем, больше просиживал за письменным столом. Самые драматические изменения в истории Нового Света находили отражение в языке народа, и филолог и лексикограф Ной Уэбстер установил новые стандарты произношения и написания, основанные на речи американской нации. Его первый подобного рода труд «Сводный словарь английского языка» увидел свет в 1806 году: в этой работе приводились 5 тысяч слов, не включённых ни в один более ранний словарь английского языка. Научные изыскания Уэбстера продолжались следующие четверть века. На два столетия имя *Webster* для американца стало синонимом слова «словарь».

К 1808 году «Аттила нашего времени», как писал о Наполеоне Т. Джефферсон, уже одержал свои главные военные и дипломатические победы. Триумфатор-император принял

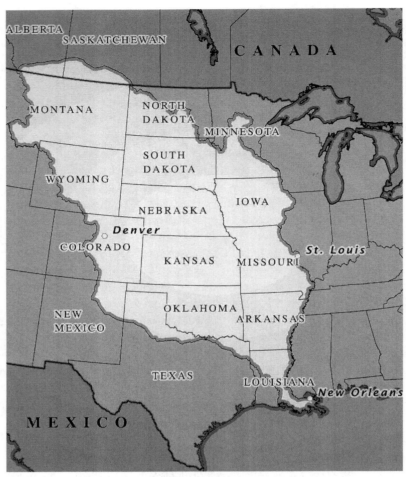

Карта приобретённой у Франции Луизианы

решение развестись с супругой Жозефиной и приказал своему министру иностранных дел Талейрану вступить в переговоры с царём Александром I на предмет подыскать Бонапарту жену среди русских великих княжон. Династические манёвры великого камергера князя Талейрана-Перигора ни к чему не привели: «хитрый византиец» отделывался уклончивыми ответами.

В тот год, на излёте своего президентства, Томас Джефферсон вступил в дружескую переписку с Александром I, что привело вскоре к установлению официальных дипломатических отношений между двумя странами. Первым послом Российской империи в США в 1809 году стал граф Фёдор Пален, сын петербургского генерал-губернатора, вдохновителя заговора против Павла I.

Другой дипломат, Пётр Полетика, приехавший в Соединённые Штаты в составе первого русского посольства, оказался причастным к последней из политических коллизий, связанных с приобретением земель Луизианы.

Испанская Америка оставалась яблоком раздора между Мадридом, Парижем и Вашингтоном. 20 марта 1808 года французская армия заняла испанскую столицу. «Бурбоны всегда оставались моими врагами»,—признался Бонапарт австрийскому послу князю К. Меттерниху (дипломат вскоре устроит брак Наполеона с дочерью австрийского императора). Корсиканец заставил отречься от престола испанского короля Карла IV, отправил его в ссылку и возвёл на кастильский трон своего старшего брата Жозефа. Население Мадрида ответило восстанием, которое переросло в затяжную партизанскую войну по всей стране.

Эхом наполеоновских войн в Европе стали события в крошечном городке Сент-Фрэнсисвилл (*St. Francisville*) на левом берегу Миссисипи. 23 сентября 1810 года на территории Западной Флориды произошло восстание, была свергнута испанская администрация и над провозглашённой столицей Сент-Фрэнсисвилл был поднят флаг Республики Западная Флорида—синее полотнище с белой звездой в центре. Через месяц, 27 октября 1810 года, четвёртый президент США Джеймс Мэдисон объявил об аннексии Западной Флориды (как части луизианской покупки 1803 года). Правительство новой республики протестовало, желая обсудить условия вхождения в состав США на правах свободного штата, но в Вашингтоне отказались его признавать. Сейчас эта часть штата Луизиана известна как Флоридские приходы.

В те дни в американской столице встретились два дипломата, которым выпадет повлиять на окончательную судьбу полуострова Флорида. Первый из них, родовитый дворянин Луис де Онис и Гонсалес-Вара представлял в США противостоящее братьям Бонапартам испанское правительство Фердинанда VII (Белый дом несколько лет воздерживался от его официального признания). Второй—сын малороссийского дворянина Пётр Полетика—прибыл в 1810 году в Вашингтон в качестве советника российского посольства и сразу был замечен как автор обстоятельного меморандума о возможностях расширения торговых связей между Россией и США.

Карьерный дипломат Онис дважды назначался послом в Россию, но внешние обстоятельства не позволили ему приехать в Санкт-Петербург. Пётр Иванович Полетика служил в Мадриде, однако в русской истории отмечен по другому поводу. Образованный остроумец, публицист и мемуарист, был близок с кружком Н. М. Карамзина, в литературном обществе «Арзамас» (1815–1818) его нарекли «Очарованным челном», намекая на множественные дальние странствования дипломата. Полетика тесно дружил с А. С. Пушкиным, В. А. Жуковским, К. Н. Батюшковым, П. А. Вяземским. «Замечательный в обществах любезностью просвещённого ума своего», он знал Америку и рассказывал о ней лучше кого бы то ни было в России.

Испанская монархия, сотрясаемая внутренними и внешнеполитическими кризисами, была не силах удержать свои колонии, поэтому стремилась использовать любые противоречия великих держав, чтобы как-то противостоять американской экспансии. Посол Луис де Онис в 1816–1817 годах даже предложил совсем экзотическую идею: продать Флориду Российской империи.

Развязка наступила в феврале 1819 года. Полетика с согласия русского двора использовал своё влияние в качестве посредника на переговорах, которые шли несколько месяцев. Договор о Флориде (историческое название «Трансконтинентальный договор») подписали государственный секретарь США Джон Куинси Адамс и испанский посланник Луис де Онис. Многоопытный Полетика знал обоих по Вашингтону,

Мадриду и Санкт-Петербургу: госсекретарь Дж. К. Адамс, будущий шестой президент США, ранее был первым официальным американским послом в России.

За пять с лишним миллионов долларов Флорида стала частью американской республики. Трансконтинентальный договор Адамса — Ониса также определил границу между Соединёнными Штатами и Испанской Мексикой вплоть до Тихого океана. Ратификация договора обеими неуступчивыми сторонами заняла ещё два года.

Томас Джефферсон ушёл из жизни 4 июля 1826 года, в пятидесятилетнюю годовщину провозглашённого им государства Соединённых Штатов Америки. Сам политик не считал приобретение Луизианы (ярчайшее событие его президентства) самым важным из своих деяний. По завещанию Джефферсона, на его могильной плите высекли следующие строки: «Автор Декларации американской независимости, Статуса Вирджинии о религиозной свободе и основатель университета Вирджинии».

Посол во Франции Роберт Р. Ливингстон, вернувшись на родину, оставался в стороне от большой политики. Будучи небедным предпринимателем, он финансировал проект создания первого американского парохода и способствовал строительству канала Эри, в то время крупнейшего в мире. Ливингстон также оставил научный трактат о разведении мериносовых пород овец.

Другой дипломат и политик, Джеймс Монро, в 1817 году стал пятым президентом Соединённых Штатов. В его президентство в состав федерального союза были приняты пять новых штатов по обе стороны Миссисипи. При Монро Флорида была куплена у Испании, а 48-я параллель превратилась в границу, отделяющие западные штаты Америки от британских владений в Канаде. В историю также вошла внешнеполитическая «доктрина Монро», оградившая страны Западного полушария от вмешательств европейских монархий.

Генерал-оборотень Джеймс Уилкинсон, руководивший 20 декабря 1803 года в Новом Орлеане официальной церемонии передачи Луизианы от французов к американцам,

Мемориал президента Джефферсона в Вашингтоне

одно время был главнокомандующим вооружёнными силами США. О тайных осведомительских услугах Мадриду «Агента № 13» тогда никто не догадывался. В последние годы жизни генерал захотел обзавестись обширными хлопковыми плантациями на Западе—он рассчитывал на щедрую компен-

216

сацию со стороны испанцев. Уилкинсон умер в 1825 году в Мехико, куда он приехал оформить купчую на земельную собственность в Техасе.

Заговорщик Аарон Бэрр, избежав судебного наказания, несколько лет скитался по европейским столицам в тщетной надежде отыскать спонсоров на новую экспедицию против испанских властей в Мексике. В 1812 году бывший вице-президент США вернулся в Нью-Йорк и, спасаясь от кредиторов, взял девичью фамилию матери Эдвардс. Женитьба уже в преклонном возрасте на богатой вдове Элизе Джумел не принесла Бэрру финансового благополучия: узнав, что новый муж тратит её состояние на земельные спекуляции, Элиза подала на развод после пяти месяцев брака. Своим адвокатом она наняла Александра Гамильтона, младшего сына убитого Бэрром на дуэли министра финансов США. Судебное постановление о разводе вышло 14 сентября 1836 года, в день смерти Аарона Бэрра.

В мае 1821 года на маленьком вулканическом острове Атлантического океана закатилась звезда бывшего властелина Европы. «Какое бесславное и многозначительное завершение этой поразительной карьеры!» — записал в дневнике Томас Джефферсон. Имперские идеи Бонапарта исчезли после его низложения. Предсказания Джефферсона об огромной и процветающей американской нации сбылись с лихвой. История любит играть судьбами: одним из редакторов документа об отречении императора был его казначей Франсуа Барбе-Марбуа.

Задолго до наполеоновского краха князь Шарль де Талейран предал своего господина и начал оказывать платные услуги русскому императору Александру I. В секретной переписке он фигурировал под именем «Анна Ивановна». Из всех участников луизианской интриги этот ловкий царедворец прожил дольше всех, вызвав в 1838 году насмешливые комментарии: «Талейран умер. Интересно, зачем ему это понадобилось?»

Действительный статский советник, второй российский посол в Вашингтоне и член Американского философского общества Пётр Полетика в 1821 году написал книгу «*A Sketch of the Internal Condition of the United States and Their Political Relations with Europe»* — одну из первых в Старом Свете русских монографий о США. В 1826 году книга вышла анонимно в Париже, а несколько позже — в самих Соединённых Штатах. В России она не издавалась по цензурным соображениям, но отрывки из книги под названием «Состояние общества в Соединённых Американских областях» были опубликованы Александром Сергеевичем Пушкиным в «Литературной газете» в 1830 году. «Я очень люблю Полетику», — записал поэт в дневнике в мае 1834 года.

С той далёкой поры Америка никогда не была чужой для русской культуры. В прозе, публицистике и, особенно, в поэзии — от пиитов пушкинского круга до мэтров Серебряного века — присутствует этот «новый мир, неведомый, нежданный» (Тютчев).

Со слов Анны Ахматовой, своё первое четверостишие Николай Гумилёв сложил о Ниагарском водопаде. Посвятив мужу, «русскому конквистадору», раннее стихотворение, Ахматова очень точно связала неизбывную русскую тягу к красоте и гармонии с романтической мечтой о далёком континенте:

> *Он любил три вещи на свете:*
> *За вечерней пенье, белых павлинов*
> *И стёртые карты Америки.*

ХРОНОЛОГИЯ

1492 — открытие Колумбом Америки (Багамских островов). Великий мореплаватель никогда не ступил на материковую часть Америки. Убеждённый, что он открыл «путь в Индию», Христофор Колумб назвал коренных жителей континента «индейцами».

1507 — германский картограф Мартин Вальдземюллер присвоил новой части света имя «Америка», в честь флорентийского исследователя Америго Веспуччи, который дал первое научное описание нового континента.

1565 — испанцы основали форт Св. Августина во Флориде (ныне город Сент-Огастен) — первое постоянное европейское поселение на территории будущих Соединённых Штатов.

1607 — на Атлантическом побережье Северной Америки построен форт Джеймстаун, положивший начало первой английской колонии Вирджинии.

1608 — основан Квебек, главный форпост Франции в Канаде.

1620 — переселенцы-пилигримы основали Плимут (в нынешнем штате Массачусетс), первое поселение Новой Англии.

1624—на острове Манхэттен в устье реки Гудзон заложен голландский форт Новый Амстердам (будущий Нью-Йорк).

1718—во французской Луизиане основан Новый Орлеан.

1763—Парижский (Версальский) мирный договор завершил Семилетнюю войну между крупнейшими европейскими державами. В Северной Америке Великобритания добавила к своим владениям Французскую Канаду. Колония Луизиана отошла к Испании.

1775–1783—Война за независимость США. Войска восставших американских колоний возглавил генерал Джордж Вашингтон.

1776, 4 июля—Континентальный конгресс принял Декларацию независимости США. Новое государство составили тринадцать республик-штатов: Делавэр, Пенсильвания, Нью-Джерси, Джорджия, Коннектикут, Массачусетс, Мэриленд, Южная Каролина, Нью-Хэмпшир, Вирджиния, Нью-Йорк, Северная Каролина, Род-Айленд.

1783—Подписан Парижский мирный договор, по которому Великобритания признала независимость Соединённых Штатов. Англичане также отказывались от притязаний на земли южнее Канады и восточнее реки Миссисипи.

1789–1797—президентство Джорджа Вашингтона.

1791—Вермонт вошёл в состав Союза Штатов.

1792—в состав США вошёл штат Кентукки.

1797–1801—президентство Джона Адамса.

1799 — штат Теннесси вошёл в состав США.

1800 — Вашингтон, округ Колумбия, стал федеральной столицей Соединённых Штатов.

1801-1809 — президентство Томаса Джефферсона.

1803 — штат Огайо вошёл в состав США.

1803 — покупка Луизианы. В результате сделки с Францией территория США увеличилась почти в два раза за счёт земель к западу от реки Миссисипи.

1804-1806 — экспедиция под командованием М. Льюиса и У. Кларка провела первое научное исследование территорий американского Запада. Экспедиция прошла от берегов Миссисипи до побережья Тихого океана.

ОГЛАВЛЕНИЕ

Континент на продажу

Леонид Спивак

Меж двух берегов

Издательством M•Graphics Publishing в рамках серии «Портреты на фоне эпохи» опубликована книга Леонида Спивака «Меж двух берегов», рассказывающая о судьбах европейцев и выходцев из России, волею истории оставивших яркий и необычный след по обе стороны Атлантики.

Жизненная фабула героев книги разворачивается на просторах Старого и Нового Света. Известные и полузабытые персонажи из разных исторических эпох создавали увлекательные коллизии на берегах Невы и Сены, Гудзона и Темзы, Москвы-реки и Миссисипи. Двадцать глав книги «Меж двух берегов» — переплетение имен европейцев, россиян и американцев, сложные, подчас невероятные, культурно-исторические узлы и параллели, возникавшие в разные столетия на двух полюсах мира.

Леонид Спивак

Забытые американцы

Книга Леонида Спивака «Забытые американцы» рассказывает о судьбах двух уникальных личностей, оказавших влияние на ключевые события мировой истории: государственного секретаря Конфедеративных Штатов Иуды Бенджамина и советника двух президентов, посла США в России и Франции Уильяма Бу́ллита.

Первая часть книги посвящена Иуде Бенджамину, одному из видных деятелей американского Юга и Конфедерации, блистательному юристу, сенатору США, незаурядному государственному деятелю. Коллизий его жизни хватило бы на несколько человеческих судеб…

Вторая часть посвящена влиятельному дипломату Уильяму Бу́ллиту. Журналист, писатель и аналитик, оставивший след на страницах романов Скотта Фицджеральда и Михаила Булгакова — в биографии нашего героя немало сюжетных поворотов.

Леонид Спивак

Полковник из Нью-Йорка

Книга Леонида Спивака «Полковник из Нью-Йорка» рассказывает о 26-м президенте США Теодоре Рузвельте, человеке необычной судьбы. Писатель, журналист, ученый-исследователь, незаурядный политический деятель, историк, лауреат Нобелевской премии и один из самых известных американцев — его называли «Безумным Теодором» и «Королем Тедди», его боготворили и ненавидели, о нем написано трудов не меньше, чем об «отцах-основателях» Соединенных Штатов Дж. Вашингтоне и Б. Франклине.

В нем причудливо соединились самые колоритные из черт американского характера: ковбой, охотник-пионер, шериф, смелый путешественник, бравый полковник, автор трех десятков популярных книг и сотен статей, искусный политик, бескомпромиссный идеалист…

Приобрести книгу можно на сайте издательства (www.mgraphics-publishing.com), на Amazon.com (http://www.amazon.com/dp/1940220564), а также в бостонском книжном магазине Books & Arts

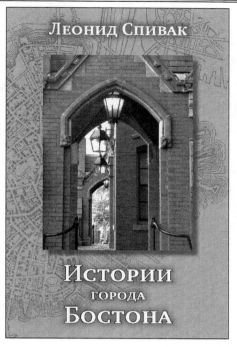

ЛЕОНИД СПИВАК

ИСТОРИИ
ГОРОДА
БОСТОНА

«…Бостон был основан 7 сентября 1630 года. Спустя полгода горожанину Филиппу Ратклифу отрезали уши за отсутствие набожности. Так началась история одного из самых старых и знаменитых американских городов».

Приведенные выше строки открывают книгу «Истории города Бостона». В настоящее, четвертое издание, вошли как новые, ранее не публиковавшиеся главы и исторические хроники Бостона, так и уже известные читателям очерки о Бостоне и его почти 400-летней истории. В книгу также включена повесть «Три портрета Изабеллы Гарднер», описывающая долгую и насыщенную событиями жизнь одной из самых выдающихся американских коллекционеров искусства, и которая в итоге стала основателем всемирно известного музея Изабеллы Гарднер — гордости и одной из самых интересных достопримечательностей Бостона.

Приобрести книгу можно на сайте издательства (www.mgraphics-publishing.com), а также в бостонском книжном магазине Books & Arts